Eugène Ionesco
Rhinocéros
et deux autres nouvelles

Présentation, notes, questions et après-texte établis par

STÉPHANE GUINOISEAU
professeur de Lettres

MAGNARD

Sommaire

Après-texte

DES NOUVELLES DE IONESCO

Auteur majeur du xxe siècle, Eugène Ionesco naît en 1909 d'un père roumain et d'une mère française qui s'installent en France en 1911. Très jeune, il connaîtra les tensions d'un couple qui se déchire jusqu'à la séparation et il sera écartelé entre deux caractères, deux pays et deux cultures. Duel et dualité que l'on retrouvera sous diverses formes dans son œuvre littéraire. Il choisit définitivement la France où il s'installe avec sa femme, Rodica, à partir de 1942. Il préfère aussi la langue « maternelle » dans laquelle il fera toute sa carrière littéraire, à partir des années 50, à Paris. Il appellera symboliquement son unique fille Marie-France.

Figure intransigeante, versatile et parfois violente, le père est l'objet de conflits récurrents avant d'être définitivement rejeté : Ionesco affirmera souvent que cette révolte a fait de lui un irréductible réfractaire à toutes les incarnations de l'autorité. Il refusera de se soumettre à toutes les idéologies, à toutes les modes et à toutes les formes de pouvoir. C'est un esprit libre qui détourne ou rejette les traditions pour affirmer un style novateur et une vision du monde originale. Son premier livre de critique littéraire, publié en Roumanie, s'intitule emblématiquement *Non* (1934), et ses premières œuvres théâtrales (*La Cantatrice chauve*, *La Leçon*, *Les Chaises*) démontrent son refus des conventions, son goût pour l'innovation déroutante et les univers insolites. Il renouvelle le langage théâtral en démontant les lieux communs qui sont devenus si courants dans les discours de propagande et dans les échanges quotidiens.

Les trois nouvelles que nous publions dans ce recueil sont trois pépites absolument insolites dont la diffusion était jusque-là plutôt réservée aux spécialistes de Ionesco ou à un public averti. Elles sont parues dans un recueil intitulé *La Photo du colonel* chez Gallimard, en 1962 (collection « L'Imaginaire »). Textes à très haute densité, ces trois récits concentrent la plupart des sujets essentiels qui obsèdent Ionesco et nous concernent tous, en tant que lecteur et en tant qu'être humain : le destin d'un couple face à un désamour dramatique (« Oriflamme »), la condition tragique de l'homme confronté à l'énigme insoluble de sa destinée et à la mort (« La photo du colonel »), la contagion d'une idéologie totalitaire ou le spectacle désespérant du conformisme grégaire (« Rhinocéros »).

Chacune de nos nouvelles a été adaptée au théâtre pour connaître des succès parfois considérables. Chronologiquement, la première de ces nouvelles, « Oriflamme », deviendra *Amédée ou comment s'en débarrasser* l'année de sa publication, en 1954, et sera montée par Jean-Marie Serreau au théâtre de Babylone. « La photo du colonel », récit publié en 1955, sera adapté au théâtre en 1957 sous le titre *Tueur sans gages*. Cette pièce sera d'abord jouée en Allemagne en 1958 avant d'être représentée en France un an plus tard. Enfin, « Rhinocéros » est une nouvelle publiée en 1957 avant de devenir œuvre théâtrale, sous le même titre, en 1958. La pièce sera jouée pour la première fois en novembre 1959, à Düsseldorf, en Allemagne, et remportera immédiatement un énorme succès. Le public allemand reconnaît une fable sur la montée du nazisme et sur la contagion irrépressible des foules fascinées par un chef charismatique qui les conduit à la folie meurtrière. *Rhinocéros* sera monté en France l'année suivante par Jean-Louis Barrault à l'Odéon, et recevra un accueil enthousiaste. Cette mise en scène d'un homme de théâtre reconnu (qui assumera le rôle principal, celui de Bérenger le « dissident »), dans un lieu prestigieux, constituera une étape importante dans la reconnaissance de Ionesco comme auteur dramatique majeur du théâtre moderne.

Les trois récits adaptés au théâtre ont souvent été considérés par les critiques comme des ébauches des pièces majeures à venir. C'est une erreur. À moins de considérer bien sûr qu'un diamant est l'ébauche de la bague qui le portera ou qu'un dessin de Picasso est une simple esquisse du tableau à venir. Ces récits sont des œuvres à part entière dont la densité et l'efficacité sont telles qu'ils se suffisent et qu'ils justifient la découverte émerveillée, l'approche littéraire réfléchie ou l'analyse minutieuse. Comparant les deux versions de *Rhinocéros*, un critique avisé (Étienne Frois) signalait : « La nouvelle, reconnaissons-le, est plus étrange, plus ambiguë, et peut-être moins artificielle [que la pièce]. » Cela confirme notre conviction : les trois textes de ce recueil sont des œuvres de toute première importance.

Eugène Ionesco
Rhinocéros
et deux autres nouvelles

Rhinocéros

À la mémoire d'André Frédérique[1].

Nous discutions tranquillement de choses et d'autres, à la terrasse du café, mon ami Jean et moi, lorsque nous aperçûmes, sur le trottoir d'en face, énorme, puissant, soufflant bruyamment, fonçant droit devant lui, frôlant les étalages, un rhinocéros. À son passage, les promeneurs s'écartèrent vivement pour lui laisser le chemin libre. Une ménagère poussa un cri d'effroi, son panier lui échappa des mains, le vin d'une bouteille brisée se répandit sur le pavé, quelques promeneurs, dont un vieillard, entrèrent précipitamment dans les boutiques. Cela ne dura pas le temps d'un éclair. Les promeneurs sortirent de leurs refuges, des groupes se formèrent qui suivirent du regard le rhinocéros déjà loin, commentèrent l'événement, puis se dispersèrent.

Mes réactions sont assez lentes. J'enregistrai distraitement l'image du fauve courant, sans y prêter une importance exagérée. Ce matin-là, en outre, je me sentais fatigué, la bouche amère, à la suite des libations[2] de la veille : nous avions fêté

---

1. Poète et écrivain français qui s'est suicidé en mai 1957.
2. Consommation d'alcool excessive.

l'anniversaire d'un camarade. Jean n'avait pas été de la partie ; aussi, le premier moment de saisissement[1] passé :

20   — Un rhinocéros en liberté dans la ville ! s'exclama-t-il, cela ne vous surprend pas ? On ne devrait pas le permettre.

   — En effet, dis-je, je n'y avais pas pensé. C'est dangereux.

   — Nous devrions protester auprès des autorités municipales.

   — Peut-être s'est-il échappé du Jardin zoologique, fis-je.

25   — Vous rêvez ! me répondit-il. Il n'y a plus de Jardin zoologique dans notre ville depuis que les animaux ont été décimés[2] par la peste au XVIIe siècle.

   — Peut-être vient-il du cirque ?

   — Quel cirque ? La mairie a interdit aux nomades de séjour-
30 ner sur le territoire de la commune. Il n'en passe plus depuis notre enfance.

   — Peut-être est-il resté depuis lors caché dans les bois maré-cageux des alentours, répondis-je en bâillant.

   — Vous êtes tout à fait dans les brumes épaisses de l'alcool…

35   — Elles montent de l'estomac…

   — Oui. Et elles vous enveloppent le cerveau. Où voyez-vous des bois marécageux dans les alentours ? Notre province est surnommée la Petite Castille[3], tellement elle est désertique.

   — Peut-être s'est-il abrité sous un caillou ? Peut-être a-t-il fait
40 son nid sur une branche desséchée ?

---

1. Effroi.
2. Anéantis.
3. Région du centre de l'Espagne au climat sec.

— Vous êtes ennuyeux avec vos paradoxes[1]. Vous êtes incapable de parler sérieusement.

— Aujourd'hui surtout.

— Aujourd'hui autant que d'habitude.

45 — Ne vous énervez pas, mon cher Jean. Nous n'allons pas nous quereller[2] pour ce fauve…

Nous changeâmes de sujet de conversation et nous nous remîmes à parler du beau temps et de la pluie qui tombait si rarement dans la région, de la nécessité de faire venir, dans
50 notre ciel, des nuages artificiels et d'autres banales questions insolubles[3].

Nous nous séparâmes. C'était dimanche. J'allai me coucher, dormis toute la journée : encore un dimanche raté. Le lundi matin j'allai au bureau, me promettant solennellement de ne
55 plus jamais m'enivrer[4], surtout le samedi, pour ne pas gâcher les lendemains, les dimanches. En effet, j'avais un seul jour libre par semaine, trois semaines de vacances en été. Au lieu de boire et d'être malade, ne valait-il pas mieux être frais et dispos, passer mes rares moments de liberté d'une façon plus intelli-
60 gente : visiter les musées, lire des revues littéraires, entendre des conférences ? Et au lieu de dépenser tout mon argent disponible en spiritueux[5], n'était-il pas préférable d'acheter des

---

1. Jeux d'esprit destinés à choquer ou divertir.
2. Disputer.
3. Sans réponses.
4. Me soûler.
5. Boissons alcoolisées.

billets de théâtre pour assister à des spectacles intéressants?
Je ne connaissais toujours pas le théâtre d'avant-garde, dont on
65 parlait tant, je n'avais vu aucune des pièces de Ionesco. C'était
le moment ou jamais de me mettre à la page.

Le dimanche suivant, je rencontrai Jean, de nouveau, à la
même terrasse.

— J'ai tenu parole, lui dis-je en lui tendant la main.

70 — Quelle parole avez-vous tenue? me demanda-t-il.

— J'ai tenu parole à moi-même. J'ai juré de ne plus boire. Au
lieu de boire, j'ai décidé de cultiver mon esprit. Aujourd'hui,
j'ai la tête claire. Cet après-midi je vais au musée municipal, ce
soir j'ai une place au théâtre. M'accompagnez-vous?

75 — Espérons que vos bonnes intentions vont durer, répondit
Jean. Mais je ne puis aller avec vous. Je dois rencontrer des amis
à la brasserie.

— Ah, mon cher, c'est à votre tour de donner de mauvais
exemples. Vous allez vous enivrer!

80 — Une fois n'est pas coutume, répondit Jean d'un ton irrité.
Tandis que vous...

La discussion allait fâcheusement tourner, lorsque nous
entendîmes un barrissement[1] puissant, les bruits précipités
des sabots d'un périssodactyle[2], des cris, le miaulement d'un
85 chat; presque simultanément nous vîmes apparaître, puis
disparaître, le temps d'un éclair, sur le trottoir opposé, un

---

1. Cri de l'éléphant et du rhinocéros.
2. Animal qui présente un nombre impair de doigts à chaque pied.

rhinocéros soufflant bruyamment et fonçant, à toute allure, droit devant lui.

Tout de suite après, surgit une femme tenant dans ses bras une petite masse informe, sanglante :

— Il a écrasé mon chat, se lamentait-elle, il a écrasé mon chat!

Des gens entourèrent la pauvre femme échevelée[1] qui semblait l'incarnation même de la désolation, la plaignirent.

— Si ce n'est pas malheureux, s'écriaient-ils, pauvre petite bête!

Jean et moi nous nous levâmes. D'un bond nous traversâmes la rue, entourâmes la malheureuse :

— Tous les chats sont mortels, fis-je stupidement, ne sachant comment la consoler.

— Il est déjà passé la semaine dernière devant ma boutique! se souvint l'épicier.

— Ce n'était pas le même, affirma Jean. Ce n'était pas le même : celui de la semaine dernière avait deux cornes sur le nez, c'était un rhinocéros d'Asie; celui-ci n'en a qu'une : c'est un rhinocéros d'Afrique.

— Vous dites des sottises, m'énervai-je. Comment avez-vous pu distinguer les cornes! Le fauve est passé à une telle vitesse, à peine avons-nous pu l'apercevoir; vous n'avez pas eu le temps de les compter…

— Moi, je ne suis pas dans le brouillard, répliqua vivement Jean. J'ai l'esprit clair, je calcule vite.

---

1. Aux cheveux en désordre.

– Il fonçait tête baissée.

– Justement, on voyait mieux.

– Vous n'êtes qu'un prétentieux, Jean. Un pédant[1], un
pédant qui n'est pas sûr de ses connaissances. Car, d'abord,
c'est le rhinocéros d'Asie qui a une corne sur le nez ; le rhinocéros d'Afrique, lui, en a deux !

– Vous vous trompez, c'est le contraire.

– Voulez-vous parier ?

– Je ne parie pas avec vous. Les deux cornes, c'est vous qui
les avez, cria-t-il, rouge de colère, espèce d'Asiatique ! (Il n'en
démordait pas.)

– Je n'ai pas de cornes. Je n'en porterai jamais. Je ne suis
pas asiatique non plus. D'autre part, les Asiatiques sont des
hommes comme tout le monde.

– Ils sont jaunes ! cria-t-il, hors de lui.

Jean me tourna le dos, s'éloigna à grands pas, en jurant.

Je me sentais ridicule. J'aurais dû être plus conciliant, ne pas
le contredire : je savais, pourtant, qu'il ne le supportait pas. La
moindre objection le faisait écumer[2]. C'était son seul défaut, il
avait un cœur d'or, m'avait rendu d'innombrables services. Les
quelques gens qui étaient là et nous avaient écoutés en avaient
oublié le chat écrasé de la pauvre femme. Ils m'entouraient,
discutaient : les uns soutenaient qu'en effet le rhinocéros d'Asie
était unicorne[3], et me donnaient raison ; les autres soutenaient

---

1. Prétentieux.
2. Enrager.
3. Portait une seule corne.

au contraire que le rhinocéros unicorne était africain, donnant ainsi raison à mon préopinant[1].

— Là n'est pas la question, intervint un monsieur (canotier[2], petite moustache, lorgnon[3], tête caractéristique du logicien) 140 qui s'était tenu jusque-là de côté sans rien dire. Le débat portait sur un problème dont vous vous êtes écartés. Vous vous demandiez au départ si le rhinocéros d'aujourd'hui est celui de dimanche dernier ou bien si c'en est un autre. C'est à cela qu'il faut répondre. Vous pouvez avoir vu deux fois un même 145 rhinocéros portant une seule corne, comme vous pouvez avoir vu deux fois un même rhinocéros à deux cornes. Vous pouvez encore avoir vu un premier rhinocéros à une corne, puis un autre ayant également une seule corne. Et aussi, un premier rhinocéros à deux cornes, puis un second rhinocéros à deux 150 cornes. Si vous aviez vu la première fois un rhinocéros à deux cornes, la seconde fois un rhinocéros à une corne, cela ne serait pas concluant non plus. Il se peut que depuis la semaine dernière le rhinocéros ait perdu une de ses cornes et que celui d'aujourd'hui soit le même. Il se peut aussi que deux rhinocé-155 ros à deux cornes aient perdu tous les deux une de leurs cornes. Si vous pouviez prouver avoir vu, la première fois, un rhinocéros à une corne, qu'il fût asiatique ou africain, et aujourd'hui un rhinocéros à deux cornes, qu'il fût, peu importe, africain ou asiatique, à ce moment-là nous pourrions conclure que

---

1. Premier contradicteur.
2. Chapeau de paille à bords étroits et à fond plat.
3. Lunettes sans branches.

160 nous avons affaire à deux rhinocéros différents, car il est peu probable qu'une deuxième corne puisse pousser en quelques jours, de façon visible, sur le nez d'un rhinocéros ; cela ferait d'un rhinocéros asiatique ou africain, un rhinocéros africain ou asiatique, ce qui n'est pas possible en bonne logique, une 165 même créature ne pouvant être née en deux lieux à la fois ni même successivement.

– Cela me semble clair, dis-je, mais cela ne résout pas la question.

– Évidemment, répliqua le monsieur en souriant d'un air 170 compétent, seulement le problème est posé de façon correcte.

– Là n'est pas non plus le problème, repartit l'épicier qui, ayant sans doute un tempérament passionnel, se souciait peu de la logique. Pouvons-nous admettre que nos chats soient écrasés sous nos yeux par des rhinocéros à deux cornes ou à une 175 corne, fussent-ils asiatiques ou africains ?

– Il a raison, c'est juste, s'exclamèrent les gens. Nous ne pouvons permettre que nos chats soient écrasés, par des rhinocéros ou par n'importe quoi !

L'épicier nous montra d'un geste théâtral la pauvre femme 180 en larmes tenant toujours dans ses bras, et la berçant, la masse informe, sanguinolente, de ce qui avait été son chat.

Le lendemain, dans le journal, à la rubrique des chats écrasés, on rendait compte en deux lignes de la mort de la pauvre bête,

« foulée aux pieds par un pachyderme[1] », disait-on sans donner
185 d'autres détails.

Le dimanche après-midi, je n'avais pas visité les musées ; le
soir je n'étais pas allé au théâtre. Je m'étais morfondu[2], tout seul,
à la maison, accablé par le regret de m'être querellé avec Jean.

« Il est tellement susceptible, j'aurais dû l'épargner, m'étais-je
190 dit. C'est absurde de se fâcher pour une chose pareille... pour
les cornes d'un rhinocéros que l'on n'avait jamais vu auparavant... un animal originaire d'Afrique ou d'Asie, contrées[3] si
lointaines, qu'est-ce que cela pouvait bien me faire ? Tandis que
Jean, lui, au contraire était un ami de toujours qui... à qui je
195 devais tant... et qui... »

Bref, tout en me promettant d'aller voir Jean le plus tôt
possible et de me raccommoder[4] avec lui, j'avais bu une bouteille entière de cognac sans m'en apercevoir. Je m'en aperçus
ce lendemain-là justement : mal aux cheveux, gueule de bois,
200 mauvaise conscience, j'étais vraiment très incommodé[5]. Mais le
devoir avant tout : j'arrivai au bureau à l'heure, ou presque. Je
pus signer la feuille de présence à l'instant même où on allait
l'enlever.

— Alors, vous aussi vous avez vu des rhinocéros ? me
205 demanda le chef qui, à ma grande surprise, était déjà là.

---

1. Mammifère à peau épaisse.
2. Ennuyé.
3. Terres.
4. Réconcilier.
5. Mal à l'aise.

— Bien sûr, je l'ai vu, dis-je, en enlevant mon veston de ville pour mettre mon vieux veston aux manches usées, bon pour le travail.

— Ah, vous voyez! Je ne suis pas folle! s'écria Daisy, la
dactylo[1], très émue. (Qu'elle était jolie, avec ses joues roses, ses blonds cheveux! Elle me plaisait en diable[2]. Si je pouvais être amoureux, c'est d'elle que je le serais...) Un rhinocéros unicorne!

— Avec deux cornes! rectifia mon collègue, Émile Dudard,
licencié[3] en droit, éminent[4] juriste, promis à un brillant avenir dans la maison et, peut-être, dans le cœur de Daisy.

— Moi je ne l'ai pas vu! Et je n'y crois pas! déclara Botard, ancien instituteur qui faisait fonction d'archiviste[5]. Et personne n'en a jamais vu dans le pays, sauf sur les images dans les
manuels scolaires. Ces rhinocéros n'ont fleuri que dans l'imagination des bonnes femmes. C'est un mythe[6], tout comme les soucoupes volantes.

J'allais faire remarquer à Botard que l'expression « fleurir » appliquée à un ou plusieurs rhinocéros me semblait impropre,
lorsque le juriste s'écria :

— Il y a tout de même eu un chat écrasé, et des témoins!

---

1. Employée qui tape à la machine à écrire.
2. Énormément.
3. Diplômé (trois ans d'études après le bac).
4. Brillant.
5. Employé qui classe les documents.
6. Une légende.

— Psychose[1] collective, répliqua Botard qui était un esprit fort, c'est comme la religion qui est l'opium des peuples[2]!

— J'y crois, moi, aux soucoupes volantes, fit Daisy.

230   Le chef coupa court à la polémique :

— Ça va comme ça! Assez de bavardages! Rhinocéros ou non, soucoupes volantes ou non, il faut que le travail soit fait.

La dactylo se mit à taper. Je m'assis à ma table de travail, m'absorbai dans mes écritures. Émile Dudard commença à cor-

235 riger les épreuves[3] d'un commentaire de la loi sur la répression[4] de l'alcoolisme, tandis que le chef, claquant la porte, s'était retiré dans son cabinet[5].

— C'est une mystification[6]! maugréa[7] encore Botard à l'adresse de Dudard. C'est votre propagande qui fait courir ces bruits!

240   — Ce n'est pas de la propagande, intervins-je.

— Puisque j'ai vu…, confirma Daisy en même temps que moi.

— Vous me faites rire, dit Dudard à Botard. De la propagande? Dans quel but?

— Vous le savez mieux que moi! Ne faites pas l'innocent!

245   — En tout cas, moi je ne suis pas payé par les Ponténégrins[8]!

— C'est une insulte! fit Botard en tapant du poing sur la table.

---

1. Folie.
2. Célèbre formule de Karl Marx assimilant la religion à une substance toxique et hallucinogène.
3. Première version imprimée d'un texte.
4. Punition.
5. Bureau.
6. Un mensonge.
7. Protesta.
8. Habitants supposés du Ponténégro (pays inventé par l'auteur).

La porte du cabinet du chef s'ouvrit soudain; sa tête apparut :

250   — M. Bœuf n'est pas venu aujourd'hui.

— En effet. Il est absent, fis-je.

— J'avais justement besoin de lui. A-t-il annoncé qu'il était malade? Si ça continue, je vais le mettre à la porte.

Ce n'était pas la première fois que le chef proférait[1] de 255 pareilles menaces à l'adresse de notre collègue.

— Quelqu'un d'entre vous a-t-il la clé de son secrétaire[2]? poursuivit-il.

Juste à ce moment Mme Bœuf fit son entrée. Elle paraissait effrayée :

260   — Je vous prie d'excuser mon mari. Il est parti dans sa famille pour le week-end. Il a une légère grippe. Tenez, il le dit dans son télégramme[3]. Il espère être de retour mercredi. Donnez-moi un verre d'eau… et une chaise! fit-elle, et elle s'écroula sur le siège que nous lui tendîmes.

265   — C'est bien ennuyeux! Mais ce n'est pas une raison pour vous affoler! observa le chef.

— J'ai été poursuivie par un rhinocéros depuis la maison jusqu'ici, balbutia-t-elle.

— Unicorne ou à deux cornes? demandai-je.

270   — Vous me faites rigoler! s'exclama Botard.

— Laissez-la donc parler! s'indigna Dudard.

---

1. Prononçait.
2. Meuble à tiroirs.
3. Message transmis rapidement à un destinataire grâce à un télégraphe ou un téléphone.

Mme Bœuf dut faire un grand effort pour préciser :

– Il est là, en bas, à l'entrée, il a l'air de vouloir monter l'escalier.

275 Au même instant, un bruit énorme se fit entendre : les marches de l'escalier s'effondraient sans doute sous un poids formidable. Nous nous précipitâmes sur le palier. En effet, parmi les décombres, tête basse, poussant des barrissements angoissés et angoissants, un rhinocéros était là qui tournait 280 inutilement en rond. Je pus voir qu'il avait deux cornes.

– C'est un rhinocéros africain…, dis-je, ou plutôt asiatique.

La confusion de mon esprit était telle que je ne savais plus si la bicornuité[1] caractérisait le rhinocéros d'Asie ou celui d'Afrique, si l'unicornuité caractérisait le rhinocéros d'Afrique 285 ou d'Asie, ou si, au contraire, la bicornuité… Bref, je cafouillais mentalement, tandis que Botard foudroyait Dudard du regard.

– C'est une machination infâme! (et, d'un geste d'orateur de tribune, pointant son doigt vers le juriste :) C'est votre faute!

– C'est la vôtre! répliqua ce dernier.

290 – Calmez-vous, ce n'est pas le moment! déclara Daisy, tentant, en vain, de les apaiser.

– Depuis le temps que je demande à la Direction générale de nous construire des marches de ciment pour remplacer ce vieil escalier vermoulu[2]! dit le chef. Une chose pareille devait 295 fatalement arriver. C'était à prévoir. J'ai eu raison!

---

1. Possession de deux cornes.
2. Délabré.

— Comme d'habitude, ironisa Daisy. Mais comment allons-nous descendre ?

— Je vous prendrai dans mes bras ! plaisanta amoureusement le chef en caressant la joue de la dactylo, et nous sauterons ensemble !

— Ne mettez pas sur ma figure votre main rugueuse[1], espèce de pachyderme !

Le chef n'eut pas le temps de réagir. Mme Bœuf, qui s'était levée et nous avait rejoints, et qui fixait depuis quelques instants attentivement le rhinocéros tournant en rond au-dessous de nous, poussa brusquement un cri terrible :

— C'est mon mari ! Bœuf, mon pauvre Bœuf, que t'est-il arrivé ?

Le rhinocéros, ou plutôt Bœuf, répondit par un barrissement à la fois violent et tendre, tandis que Mme Bœuf s'évanouissait dans mes bras et que Botard, levant les siens, tempêtait[2] :

— C'est de la folie pure ! Quelle société !

Les premiers moments de surprise passés, nous téléphonâmes aux pompiers qui arrivèrent avec leurs échelles, nous firent descendre. Mme Bœuf, bien que nous le lui ayons déconseillé, partit sur le dos de son conjoint vers le domicile conjugal. C'était une raison pour elle de divorcer (aux torts de qui ?), mais elle préférait ne pas abandonner son mari dans cet état.

---

1. Râpeuse.
2. Exprimait sa colère.

Au petit bistrot où nous allâmes tous déjeuner (sans les
320 Bœuf, bien sûr), nous apprîmes que plusieurs rhinocéros
avaient été signalés dans différents coins de la ville : sept selon
les uns ; dix-sept selon les autres ; trente-deux selon d'autres
encore. Devant tous ces témoignages, Botard ne pouvait plus
nier l'évidence rhinocérique[1]. Mais il savait, affirmait-il, à
325 quoi s'en tenir. Il nous l'expliquerait un jour. Il connaissait le
« pourquoi » des choses, les « dessous » de l'histoire, les « noms »
des responsables, le but et la signification de cette provocation.
Il n'était pas question de retourner au bureau l'après-midi, tant
pis pour les affaires. Il fallait attendre qu'on réparât l'escalier.
330 J'en profitai pour rendre visite à Jean, dans l'intention de me
réconcilier avec lui. Il était couché.

— Je ne me sens pas très bien ! dit-il.

— Vous savez, Jean, nous avions raison tous les deux. Il y a
dans la ville des rhinocéros à deux cornes aussi bien que des
335 rhinocéros à une corne. D'où viennent les uns, d'où viennent
les autres, cela importe peu au fond. Ce qui compte à mes yeux
c'est l'existence du rhinocéros en soi.

— Je ne me sens pas très bien, répétait mon ami, sans
m'écouter, je ne me sens pas très bien !

340 — Qu'avez-vous donc ? Je suis désolé !

— Un peu de fièvre. Des migraines.

C'était le front plus précisément qui lui faisait mal. Il
devait, disait-il, s'être cogné. Il avait une bosse, en effet, qui

---

1. Néologisme de Ionesco forgé à partir du nom « rhinocéros ».

pointait juste au-dessus du nez. Son teint était verdâtre. Il
45 était enroué.

– Avez-vous mal à la gorge ? C'est peut-être une angine.

Je pris son pouls. Il battait à un rythme régulier.

– Ce n'est certainement pas très grave. Quelques jours de
repos et ce sera fini. Avez-vous fait venir le médecin ?

50 Avant de lâcher son poignet, je m'aperçus que ses veines
étaient toutes gonflées, saillantes[1]. Observant de plus près, je
remarquai que non seulement les veines étaient grossies mais
que la peau tout autour changeait de couleur à vue d'œil et
durcissait.

55 « C'est peut-être plus grave que je ne croyais », pensai-je.

– Il faut appeler le médecin, fis-je à voix haute.

– Je me sentais mal à l'aise dans mes vêtements, maintenant
mon pyjama aussi me gêne, dit-il d'une voix rauque.

– Qu'est-ce qu'elle a, votre peau ? On dirait du cuir… (Puis,
60 le regardant fixement :) Savez-vous ce qui est arrivé à Bœuf ? Il
est devenu rhinocéros.

– Et alors ? Ce n'est pas si mal que cela ! Après tout, les
rhinocéros sont des créatures comme nous, qui ont droit à la
vie au même titre que nous…

65 – À condition qu'elles ne détruisent pas la nôtre. Vous
rendez-vous compte de la différence de mentalité ?

– Pensez-vous que la nôtre soit préférable ?

---

1. Visibles.

– Tout de même, nous avons notre morale à nous que je juge incompatible avec celle de ces animaux. Nous avons une
370 philosophie, un système de valeurs irremplaçable…

– L'humanisme est périmé! Vous êtes un vieux sentimental ridicule. Vous me racontez des bêtises.

– Je suis étonné de vous entendre dire cela, mon cher Jean! Perdez-vous la tête?

375 Il semblait vraiment la perdre. Une fureur aveugle avait défiguré son visage, transformé sa voix à tel point que je comprenais à peine les mots qui sortaient de sa bouche.

– De telles affirmations venant de votre part…, voulus-je continuer.

380 Il ne m'en laissa pas le loisir[1]. Il rejeta ses couvertures, arracha son pyjama, se leva sur son lit, entièrement nu (lui, lui, si pudique d'habitude!), vert de colère des pieds à la tête.

La bosse de son front s'était allongée; son regard était fixe, il ne semblait plus me voir. Ou plutôt si, il me voyait très bien
385 car il fonça vers moi, tête baissée. J'eus à peine le temps de faire un saut de côté, autrement il m'aurait cloué au mur.

– Vous êtes rhinocéros! criai-je.

– Je te piétinerai! Je te piétinerai! pus-je encore comprendre en me précipitant vers la porte.

390 Je descendis les étages quatre à quatre, tandis que les murs s'ébranlaient sous ses coups de corne et que je l'entendais pousser d'effroyables barrissements rageurs.

---

1. Temps.

— Appelez la police! Appelez la police! Vous avez un rhinocéros dans l'immeuble! criai-je aux locataires de la maison qui, tout étonnés, entrouvraient, sur les paliers, les portes de leurs appartements, à mon passage.

J'eus beaucoup de peine à éviter au rez-de-chaussée le rhinocéros qui, sortant de la loge de la concierge, voulait me charger[1], avant de me trouver enfin dans la rue, en sueur, les jambes molles, à bout de forces.

Heureusement, un banc était là, au bord du trottoir, sur lequel je m'assis. À peine eus-je le temps de reprendre tant bien que mal mon souffle : je vis un troupeau de rhinocéros qui dévalaient l'avenue en pente, s'approchant à toute allure de l'endroit où je me trouvais. Si encore ils s'étaient contentés du milieu de la rue! Mais non, ils étaient si nombreux qu'ils n'avaient pas assez de place pour s'y maintenir et débordaient sur le trottoir. Je sautai de mon banc, m'aplatis contre un mur : soufflant, barrissant, sentant le fauve en chaleur et le cuir, ils me frôlèrent, m'enveloppèrent dans un nuage de poussière. Quand ils eurent disparu, je ne pus me rasseoir sur le banc : les fauves l'avaient démoli, et il gisait, en morceaux, sur le pavé.

---

1. Me foncer dessus.

J'eus du mal à me remettre de ces émotions. Je dus rester
415 quelques jours à la maison. Je recevais les visites de Daisy qui
me tenait au courant des mutations qui se produisaient.

C'est le chef de bureau qui, le premier, était devenu rhinocéros, à la grande indignation de Botard qui, cependant, devint
lui-même rhinocéros vingt-quatre heures plus tard.

420 — Il faut suivre son temps! furent ses dernières paroles
humaines.

Le cas de Botard ne m'étonnait guère, malgré sa fermeté
apparente. Je comprenais moins facilement le changement
du chef. Bien sûr, chez lui, la transformation était peut-être
425 involontaire, mais on pouvait penser qu'il aurait eu la force de
mieux résister.

Daisy se souvint qu'elle lui avait fait remarquer qu'il avait les
paumes des mains rugueuses le jour même de l'apparition de
Bœuf en rhinocéros. Ceci avait dû beaucoup l'impressionner;
430 il ne l'avait pas fait voir, mais il avait certainement été touché
en profondeur.

— Si j'avais été moins brutale, si je lui avais fait remarquer
cela avec plus de ménagements[1], la chose ne serait peut-être
pas advenue.

435 — Je me reproche moi aussi de ne pas avoir été plus doux
avec Jean. J'aurais dû lui montrer plus d'amitié, être plus com-
préhensif, dis-je à mon tour.

---

1. Douceur.

Daisy m'apprit que Dudard aussi avait changé, ainsi qu'un cousin à elle que je ne connaissais pas. D'autres personnes encore, des amis communs, des inconnus.

— Ils sont nombreux, fit-elle, peut-être un quart des habitants de la ville.

— Ils sont tout de même encore en minorité.

— Du train où vont les choses, cela ne va pas durer longtemps! soupira-t-elle.

— Hélas! Et ils sont tellement plus efficaces.

Les troupeaux de rhinocéros parcourant les rues à toute vitesse devinrent une chose dont plus personne ne s'étonnait. Les gens s'écartaient sur leur passage puis reprenaient leur promenade, vaquaient à[1] leurs affaires, comme si de rien n'était.

— Comment peut-on être rhinocéros! C'est impensable! avais-je beau m'écrier.

Il en sortait des cours, il en sortait des maisons, par les fenêtres aussi, qui allaient rejoindre les autres.

À un moment donné, les autorités voulurent les parquer[2] dans de vastes enclos. Pour des raisons humanitaires, la Société Protectrice des Animaux s'y opposa. D'autre part, chacun avait parmi les rhinocéros un parent proche, un ami, ce qui, pour des raisons faciles à comprendre, rendait à peu près impossible la mise en pratique du projet. On l'abandonna.

---

1. S'occupaient de.
2. Enfermer.

La situation s'aggrava, ce qui était à prévoir. Un jour, tout un régiment de rhinocéros, après avoir fait s'écrouler les murs de la caserne, en sortit, tambours en tête, et se déversa sur les boulevards.

465 Au ministère de la Statistique, les Statisticiens statistiquaient : recensement des animaux, calcul approximatif de l'accroissement quotidien de leur nombre, tant pour cent d'unicornes, tant de bicornus… Quelle occasion de savantes controverses[1] ! Il y eut bientôt des défections[2] parmi les sta-
470 tisticiens eux-mêmes. Les rares qui restaient furent payés à prix d'or.

Un jour, de mon balcon, j'aperçus, barrissant et fonçant à la rencontre de ses camarades sans doute, un rhinocéros portant un canotier empalé sur sa corne.

475 – Le logicien ! m'écriai-je. Lui aussi, comment est-ce possible ?

Juste à cet instant, Daisy ouvrit la porte.

– Le logicien est rhinocéros ! lui dis-je.

Elle le savait. Elle venait de l'apercevoir dans la rue. Elle
480 apportait un panier de provisions.

– Voulez-vous que nous déjeunions ensemble ? proposa-t-elle. Vous savez, j'ai eu du mal à trouver de quoi manger. Les magasins sont ravagés : ils dévorent tout. Une quantité d'autres boutiques sont fermées « pour cause de transformation », est-il
485 dit sur les écriteaux.

---

1. Polémiques.
2. Abandons.

    — Je vous aime, Daisy, ne me quittez plus.

    — Ferme la fenêtre, chéri. Ils font trop de bruit. Et la poussière monte jusqu'ici.

    — Tant que nous sommes ensemble, je ne crains rien, tout
490 m'est égal. (Puis, après avoir fermé la fenêtre :) Je croyais que je n'allais plus pouvoir tomber amoureux d'une femme.

    Je la serrai dans mes bras très fort. Elle répondit à mon étreinte.

    — Comme je voudrais vous rendre heureuse! Pouvez-vous l'être avec moi?

495   — Pourquoi pas? Vous affirmez ne rien craindre et vous avez peur de tout! Que peut-il nous arriver?

    — Mon amour, ma joie! balbutiai-je en baisant ses lèvres avec une passion que je ne me connaissais plus, intense, douloureuse.

500   La sonnerie du téléphone nous interrompit.

    Elle se dégagea de mon étreinte, alla vers l'appareil, décrocha, poussa un cri :

    — Écoute…

    Je mis le récepteur à l'oreille. Des barrissements sauvages se
505 faisaient entendre.

    — Ils nous font des farces maintenant!

    — Que peut-il bien se passer? s'effraya-t-elle.

    Nous fîmes marcher le poste de T.S.F.[1] pour connaître les nouvelles : ce furent des barrissements encore. Elle tremblait.

510   — Du calme, dis-je, du calme!

---

1. La radio (Télégraphie Sans Fil).

Épouvantée, elle s'écria :

— Ils ont occupé les installations de la Radio!

— Du calme! Du calme! répétais-je, de plus en plus agité.

Le lendemain, dans la rue, cela courait en tous sens. On
pouvait regarder des heures : on ne risquait pas d'y apercevoir
un seul être humain. Notre maison tremblait sous les sabots des
périssodactyles, nos voisins.

— Advienne que pourra, dit Daisy. Que veux-tu qu'on y
fasse?

— Ils sont tous devenus fous. Le monde est malade.

— Ce n'est pas nous qui le guérirons.

— On ne pourra plus s'entendre avec personne. Tu les comprends, toi?

— Nous devrions essayer d'interpréter leur psychologie,
d'apprendre leur langage.

— Ils n'ont pas de langage.

— Qu'est-ce que tu en sais?

— Écoute, Daisy, nous aurons des enfants, nos enfants en
auront d'autres, cela mettra du temps, mais à nous deux, nous
pourrons régénérer[1] l'humanité. Avec un peu de courage…

— Je ne veux pas avoir d'enfants.

— Comment veux-tu sauver le monde, alors?

— Après tout, c'est peut-être nous qui avons besoin d'être
sauvés. C'est nous peut-être les anormaux. En vois-tu d'autres
de notre espèce?

---

1. Reconstituer.

— Daisy, je ne veux pas t'entendre dire cela!

Je la regardai désespérément.

— C'est nous qui avons raison, Daisy, je t'assure.

— Quelle prétention! Il n'y a pas de raison absolue. C'est le
540 monde qui a raison, ce n'est pas toi ni moi.

— Si, Daisy, j'ai raison. La preuve c'est que tu me comprends
et que je t'aime autant qu'un homme puisse aimer une femme.

— J'en ai un peu honte de ce que tu appelles l'amour, cette
chose morbide[1]... Cela ne peut se comparer avec l'énergie
545 extraordinaire que dégagent tous ces êtres qui nous entourent.

— De l'énergie? En voilà de l'énergie! fis-je, à bout d'argument, en lui donnant une gifle.

Puis tandis qu'elle pleurait :

— Je n'abdiquerai pas[2], moi, je n'abdiquerai pas.
550 Elle se leva, en larmes, entoura mon cou de ses bras
parfumés :

— Je résisterai, avec toi, jusqu'au bout.

Elle ne put tenir parole. Elle devint toute triste, dépérissait[3] à
vue d'œil. Un matin, en me réveillant, je vis sa place vide dans
55 le lit. Elle m'avait quitté sans me laisser un mot.

La situation devint pour moi littéralement intenable. C'était
ma faute si Daisy était partie. Qui sait ce qu'elle était devenue?
Encore quelqu'un sur la conscience. Il n'y avait personne à

---

1. Sinistre.
2. Je ne renoncerai pas.
3. Perdait ses forces.

pouvoir m'aider à la retrouver. J'imaginai le pire, me sentis
560 responsable.

Et de partout leurs barrissements, leurs courses éperdues[1],
les nuages de poussière. J'avais beau m'enfermer chez moi, me
mettre du coton dans les oreilles : je les voyais, la nuit, en rêve.

« Il n'y a pas d'autre solution que de les convaincre. » Mais
565 de quoi ? Les mutations étaient-elles réversibles[2] ? Et pour les
convaincre il fallait leur parler. Pour qu'ils réapprennent ma
langue (que je commençais d'ailleurs à oublier) il fallait d'abord
que j'apprisse la leur. Je ne distinguais pas un barrissement d'un
autre, un rhinocéros d'un autre rhinocéros.

570 Un jour, en me regardant dans la glace, je me trouvai laid
avec ma longue figure : il m'eût fallu une corne, sinon deux,
pour rehausser mes traits tombants.

Et si, comme me l'avait dit Daisy, c'était eux qui avaient
raison ? J'étais en retard, j'avais perdu pied, c'était évident.

575 Je découvris que leurs barrissements avaient tout de même
un certain charme, un peu âpre[3] certes. J'aurais dû m'en apercevoir quand il était temps. J'essayai de barrir : que c'était
faible, comme cela manquait de vigueur ! Quand je faisais un
effort plus grand, je ne parvenais qu'à hurler. Les hurlements
580 ne sont pas des barrissements.

---

1. Folles.
2. Susceptibles d'opérer un retour en arrière.
3. Rude.

Il est évident qu'il ne faut pas se mettre toujours à la remorque[1] des événements et qu'il est bien de conserver son originalité. Il faut aussi cependant faire la part des choses ; se différencier, oui, mais... rester parmi ses semblables. Je ne ressemblais plus à personne ni à rien, sauf à de vieilles photos démodées qui n'avaient plus de rapport avec les vivants.

Tous les matins je regardais mes mains dans l'espoir que les paumes se seraient durcies pendant mon sommeil. La peau demeurait flasque. Je contemplais mon corps trop blanc, mes jambes poilues : ah, avoir une peau dure et cette magnifique couleur d'un vert sombre, une nudité décente, comme eux, sans poils !

J'avais une conscience de plus en plus mauvaise, malheureuse. Je me sentais un monstre. Hélas ! jamais je ne deviendrai rhinocéros : je ne pouvais plus changer.

Je n'osai plus me regarder. J'avais honte. Et pourtant, je ne pouvais pas, non, je ne pouvais pas.

(Lettres Nouvelles[2], septembre 1957.)

---

1. Être à la traîne.
2. Revue littéraire fondée en 1953.

Oriflamme[1]

«Pourquoi, me dit Madeleine, n'as-tu pas déclaré son décès à temps? Ou alors te débarrasser du cadavre plus tôt, quand c'était plus facile!»

Ah! je suis paresseux, indolent[2], désordonné, brisé de fatigue à ne pas agir! Je ne sais jamais où je fourre mes affaires. Je perds tout mon temps, j'use mes nerfs, je me détruis à les chercher, à fouiller dans des tiroirs, à ramper sous les lits, à m'enfermer dans des chambres noires, m'ensevelir sous des penderies... J'entreprends toujours un tas de choses que je n'achève jamais, j'abandonne mes projets, je lâche tout... Pas de volonté, parce que pas de vrai but!... S'il n'y avait pas la dot[3] de ma femme, ses quelques maigres revenus...

«Tu as laissé passer dix ans!... Ça commence à sentir, dans la maison. Les voisins s'inquiètent, ils demandent d'où ça vient. Ils finiront par le savoir... C'est ton manque d'initiative qui est cause de tout. Il faudra bien le dire au commissaire. Ça va faire des histoires!... Au moins, si on pouvait prouver qu'il est mort depuis dix ans : au bout de dix ans, c'est la prescription[4]!... Si tu avais déclaré son décès à temps, on l'aurait, maintenant,

---

1. Drapeau d'apparat ou d'ornement.
2. Nonchalant, mou.
3. Biens qu'apporte la famille d'une femme lors d'un mariage.
4. Abandon des poursuites judiciaires.

20 cette prescription!... Nous serions tranquilles!... Nous n'au-
rions pas à nous cacher des voisins, nous pourrions recevoir,
comme tout le monde!...

— Mais, Madeleine, on nous aurait arrêtés, voyons, la prescription n'aurait pas eu le temps de jouer, nous serions en
25 prison ou guillotinés, depuis dix ans, cela est évident!» eus-je
l'intention de lui répondre. Allez apprendre la logique à une
femme!... Je la laissai parler, m'efforçant de ne pas écouter.

«C'est à cause de lui que ça va mal. Rien ne nous réussit!
s'exclama encore Madeleine.

30 — Ce n'est qu'une supposition.

— Et puis il occupe la plus belle pièce de notre appartement :
notre chambre à coucher de jeunes mariés!»

Pour la dix-millième fois, peut-être, faisant mine de me diri-
ger vers les cabinets, je tournai à gauche, dans le couloir, pour
35 aller contempler le mort dans sa chambre.

J'ouvris la porte. Tout espoir était vain : il ne disparaîtrait
jamais de lui-même. Il avait encore grandi. Il lui faudrait
bientôt un autre divan. Sa barbe avait poussé, lui venait aux
genoux. Pour les ongles, ça s'arrangeait, c'était Madeleine qui
40 les lui coupait.

Justement, j'entendis ses pas. Je n'arrivais jamais à être
seul avec le cadavre. Malgré des précautions infinies, elle me
surprenait à chaque fois. Elle me suspectait, m'épiait, ne me
laissait aucune liberté dans mes mouvements, m'appelait, me
45 suivait, était toujours là.

Je suis sujet à insomnies. Elle, non. Malgré la malchance qui pèse sur nous, Madeleine dort très bien.

Parfois, au beau milieu de la nuit, espérant pouvoir profiter de l'obscurité et du sommeil de Madeleine, je quittais mon lit,
50 en prenant bien soin de ne pas en faire grincer les ressorts ; retenant ma respiration, je parvenais jusqu'à la porte ; à peine avais-je saisi la poignée que la lampe de chevet s'allumait. Madeleine, déjà un pied hors des couvertures, m'interpellait : «Où vas-tu ? Tu vas *le* voir ? Attends-moi !»

55 D'autres fois, la croyant occupée à la cuisine, je me précipitais vers la chambre du mort dans l'espoir insensé d'être enfin, au moins pour quelques secondes, seul à seul avec lui. Je la trouvais là, assise sur le divan, tenant le défunt[1] par l'épaule, guettant mon arrivée.

60 Je ne fus donc pas étonné d'avoir, cette fois encore, Madeleine sur mes talons[2], prête à me faire des reproches, selon son habitude. Comme j'attirais son attention sur la beauté du regard de feu, brillant dans la pénombre de la pièce, elle s'écria, parfaitement insensible à ce charme malgré tout assez
65 inaccoutumé[3] :

«Depuis dix ans, tu n'as même pas encore fermé ses paupières !

– C'est vrai… acquiesçai-je, d'un air pitoyable.

---

1. Mort.
2. Me suivant de près.
3. Inhabituel.

— Comment peut-on, continua-t-elle, être étourdi à ce
point? Tu ne diras pas que tu n'as pas eu le temps, tu ne fais
rien toute la journée!

— Je ne peux pas penser à tout!

— Tu ne penses à rien!

— Bon. Je le sais. Tu me l'as dit et répété cent mille fois!

— Si tu le sais, pourquoi ne te corriges-tu pas?

— Tu n'avais qu'à fermer ses paupières toi-même!

— J'ai bien autre chose à faire que d'être tout le temps après
toi, commencer ce que tu ne continueras pas, terminer ce que tu
as laissé en panne, mettre de l'ordre partout. J'ai à m'occuper de
tout l'appartement, de la cuisine; je lave, je raccommode, je cire
le parquet, je change son linge et le tien, j'essuie la poussière, je
fais la vaisselle, j'écris des poésies que je vends pour augmenter
nos maigres ressources, je chante, la fenêtre ouverte, malgré mes
soucis, pour que les voisins ne se doutent pas qu'il y a quelque
chose qui ne va pas chez nous, tu sais bien que nous n'avons
pas de bonne, ah! avec ce que tu gagnes, si je n'étais pas là!...

— Ça va, ça va...», fis-je, accablé, et je voulus quitter la
pièce.

«Où vas-tu? Tu oubliais encore de fermer ses paupières!»

Je revins sur mes pas. M'approchai du cadavre. Qu'il était
vieux, vieux! Les morts vieillissent plus vite que les vivants.
Qui aurait reconnu là le beau jeune homme qui, un soir, dix
ans auparavant, nous avait rendu visite, était tombé subitement
amoureux de ma femme et – mettant à profit mes cinq minutes
d'absence – était devenu son amant, le soir même?

«Tu vois, me dit Madeleine, si, le lendemain du meurtre, tu étais allé au commissariat, dire que tu l'avais tué dans un moment de colère, ce qui était la pure vérité, par jalousie, comme c'était un crime passionnel[1], tu n'aurais même pas été inquiété; on t'aurait fait signer une petite déclaration, on t'aurait laissé partir, on aurait enfoui la déclaration dans un dossier; toute l'affaire serait classée, oubliée depuis longtemps. C'est à cause de ta négligence que nous en sommes là. Chaque fois que je te disais : va faire ta déclaration, tu me répondais : demain, demain, demain!... Et ça fait dix ans avec tes demains. Et nous voilà, maintenant. Par ta faute, par ta faute!...

— J'irai demain! dis-je, dans l'espoir qu'elle me laisserait tranquille.

— Oh! je te connais; tu n'iras pas. D'ailleurs, à quoi cela pourrait-il bien servir, à présent? C'est trop tard. On ne croira pas – dix ans après – que tu l'as tué dans un moment de colère! Quand on attend dix ans, ça ressemble vraiment à de la préméditation[2]. Je me demande ce qu'on pourrait bien leur raconter, si on voulait se mettre en règle, un jour ou l'autre!... Comme il est devenu vieux, tu pourrais peut-être dire que c'est ton père, que tu l'as tué hier. Mais ce ne serait peut-être pas une bonne excuse.

— On ne nous croirait pas. On ne nous croirait pas», murmurai-je.

---

1. Crime motivé par la jalousie ou la passion amoureuse.
2. Crime préparé à l'avance.

120 Je suis un esprit réaliste; je manque de volonté mais je raisonne clairement. Aussi, le manque de logique de Madeleine, ses jugements sans fondement dans le réel ont toujours été, pour moi, insupportables.

«Allons de l'autre côté!» dis-je et je fis deux pas.

125 «Tu allais encore oublier de fermer ses paupières! Pense donc un peu à ce qu'on te dit!» cria Madeleine.

Quinze autres jours s'écoulèrent. Il vieillissait et grandissait de plus en plus vite. Nous en étions effrayés. Il faisait, de toute évidence, de la progression géométrique[1], cette maladie incurable[2] des morts. Comment avait-il pu attraper cela chez nous?

130 Il ne tenait plus sur le divan. Nous fûmes obligés d'étendre le corps sur le parquet. De cette façon, nous récupérâmes le meuble, que nous installâmes dans la salle à manger. J'avais pu, pour la première fois depuis dix ans, m'allonger après déjeuner, m'assoupir, lorsque les cris de Madeleine me réveillèrent en sursaut.

135 «Es-tu sourd? me disait-elle, affolée. Tu ne t'en fais pas, toi, tu dors toute la journée…

— C'est parce que je ne dors pas de la nuit!

140 — … comme s'il ne se passait rien dans la maison. Écoute donc!»

---

1. Augmentation régulière de la taille.
2. Inguérissable.

De la chambre du mort, des craquements se faisaient entendre. Du plâtre devait tomber du plafond. Sous l'action d'une poussée irrésistible, les murs gémissaient. Le plancher, jusque dans la salle à manger, l'appartement tout entier, vibrait, chavirait comme un bateau. Une fenêtre éclata. Les vitres volèrent en morceaux. Heureusement, cette fenêtre ne donnait que sur la cour intérieure.

«Que vont penser les voisins! se désespéra Madeleine.

– Allons voir!»

Nous avions fait à peine deux pas en direction de la chambre du mort lorsque la porte céda, tomba avec fracas, se brisa, laissant apparaître, énorme, la tête du vieux couchée par terre, le regard vers le plafond.

«Il a toujours les yeux ouverts», remarqua Madeleine.

En effet, ils étaient ouverts. Ils étaient très grands, maintenant, ronds, éclairant, tels deux phares, d'une lumière froide, blanche, tout le couloir.

«Heureusement que la porte s'est brisée! dis-je, pour tranquilliser Madeleine. Comme ça, il aura de la place. Le couloir est long.

– Toujours optimiste! Regarde donc!»

Cependant qu'elle haussait les épaules, je regardai. C'était très inquiétant. Il s'allongeait à vue d'œil. Je traçai un signe, à la craie, à quelques centimètres de sa tête. Ce signe fut atteint, puis dépassé, en quelques minutes.

«Il faut agir! déclarai-je, on ne peut vraiment plus attendre.

– Enfin, dit Madeleine, tu t'es réveillé, tu as tout de même compris. Il y a longtemps, mon pauvre ami, que tu aurais dû
170 *agir.*

– Ce n'est peut-être pas trop tard!»

J'avais compris mes torts. Tout tremblant, je tentais de m'excuser.

«Idiot!» répondit Madeleine, comme pour me donner du
175 courage.

Je ne pouvais rien entreprendre avant la nuit. Nous étions au mois de juin, nous avions encore des heures à attendre. Plusieurs heures; c'était beaucoup; j'aurais eu le temps de me reposer, penser à autre chose, ou dormir, si Madeleine n'avait
180 pas été là, anxieuse plus que jamais. Pensez donc : pas moyen d'avoir une minute de tranquillité avec ses sermons[1], ses «je te l'avais bien dit», sa manie d'avoir toujours eu raison.

Cependant, la tête du mort avançait toujours, dans l'anti-chambre[2], approchait de plus en plus de la salle à manger,
185 dont je fus, bientôt, obligé d'ouvrir la porte. Les étoiles avaient à peine fait leur apparition dans le ciel que la tête s'était déjà montrée dans l'embrasure[3]. Il fallait encore attendre, il y avait trop de gens dans la rue. C'était l'heure du dîner; nous n'avions pas faim. Soif, oui; mais, pour chercher un verre à la cuisine,
190 il fallait enjamber le corps. Même ce petit effort était au-dessus de nos forces.

---

1. Reproches.
2. Pièce d'entrée qui donne accès aux autres pièces.
3. L'ouverture.

Nous n'avions pas allumé. Ses yeux éclairaient suffisamment la pièce.

«Ferme les volets!» me recommanda Madeleine.

195 Puis, me montrant du doigt la tête du mort :

«Ça va tout nous mettre sens dessus dessous.»

La tête était arrivée en bordure du tapis, qu'elle poussait et plissait. Je la soulevai, la mis par-dessus : «Comme cela, ça n'abîmera pas le tapis.»

200 En fin de compte, je me sentais assez déprimé. Cette histoire, qui durait depuis des années!… En outre, ce soir-là j'avais le trac, car j'avais à «agir». Aux tempes, je sentis un peu de sueur. Je frissonnai.

Madeleine eut un cri de révolte : «C'est épouvantable, enfin.

205 Des choses pareilles, il n'y a qu'à nous que cela arrive!»

Je regardai son pauvre visage torturé. J'eus pitié. J'allai vers elle, lui dis gentiment :

«Si nous nous aimions, en vérité, tout cela n'aurait plus d'importance.» Je joignis les mains : «Aimons-nous, Madeleine, je

210 t'en supplie, tu sais, l'amour arrange tout, il change la vie. Me comprends-tu?»

Je voulus l'embrasser. Elle se dégagea, l'œil sec, la bouche dure.

«J'en suis certain!» balbutiai-je encore. Puis, prenant mon élan : «Te rappelles-tu, jadis, toutes les aurores étaient pour

215 nous des victoires! Nous étions aux portes du monde. Te souviens-tu, te souviens-tu? L'univers était et n'était plus, ou n'était qu'un voile transparent à travers lequel brillait une lumière éclatante, une lumière de gloire venant de tous les

côtés, de plusieurs soleils. La lumière nous pénétrait, comme
220 une chaleur douce. Nous nous sentions légers, dans un monde
délivré de sa pesanteur, étonnés d'exister, heureux d'être. C'est
cela l'amour, c'est cela la jeunesse. Si nous le voulions, du fond
du cœur, rien n'aurait de l'importance, nous chanterions des
hymnes de joie!

225   – Ne dis pas de sottises, répondit Madeleine, ce n'est pas
l'amour qui va nous débarrasser de ce cadavre. La haine non
plus, d'ailleurs. Ce n'est pas une affaire de sentiment.

     – Je t'en débarrasserai», dis-je, en laissant retomber mes
bras.

230   Je me retirai dans mon coin. M'enfonçai dans mon fauteuil.
Me tus. Madeleine, sur sa chaise, la mine renfrognée[1], se mit
à coudre.

     Je contemplai la tête du mort qui n'était plus qu'à cin-
quante centimètres, environ, du mur opposé à la porte. Il
235 avait encore vieilli depuis tout à l'heure. C'est bizarre, nous
nous étions, malgré tout, habitués à lui ; je me rendis compte,
soudain, que je regrettais sincèrement de m'en séparer. S'il
s'était tenu tranquille, on l'aurait gardé avec nous, longtemps
encore ; toujours, peut-être. En somme, il avait grandi, vieilli
240 dans notre maison, avec nous, ça compte cela! Que voulez-
vous, on s'attache à tout, ainsi est le cœur de l'homme… La
maison nous paraîtra bien vide, pensais-je, quand il ne sera
plus là… Que de souvenirs il nous rappelait! Il avait été le

---

1. Mécontente.

témoin muet d'un passé entier, pas toujours agréable, bien
245 sûr... On peut même dire : à cause de lui, pas agréable !
Que voulez-vous, la vie n'est jamais gaie !... Je me souvenais
à peine que c'était moi qui l'avais assassiné ou plutôt, pour
employer une expression moins défavorable pour moi : «exé-
cuté», dans un moment de colère... ou d'indignation... On
250 s'était pardonné, depuis le temps, tacitement[1]...; s'il fallait
tenir compte de tout, les fautes étaient partagées. Au fait, *lui*,
avait-il vraiment oublié ?

Madeleine m'interrompit dans mes pensées :

«Son front touche au mur. C'est le moment !
255 — Oui !» me décidai-je.

Je me levai. Ouvris les volets. Regardai par la fenêtre. La
nuit d'été était très belle. Il devait être deux heures après
minuit. Personne dans la rue. Les fenêtres, partout, obscures.
Les acacias en fleur embaumaient. En haut, en plein ciel, la
260 lune, ronde, épanouie, un astre bien vivant. La voie lactée.
Des nébuleuses[2], des nébuleuses à profusion[3], des chevelures,
des routes dans le ciel, des ruisseaux, de l'argent liquide, de
la lumière palpable, neige de velours. Des fleurs blanches, des
bouquets et des bouquets, des jardins dans le ciel, des forêts
265 étincelantes, des prairies... Et de l'espace, surtout, de l'espace,
un espace infini !...

---

1. Implicitement.
2. Amas d'étoiles.
3. En abondance.

«Allons, me dit Madeleine, à quoi penses-tu? Il ne faut pas que l'on nous voie. Je vais faire le guet[1].»

Elle enjamba la fenêtre. Courut jusqu'au coin de la rue. Regarda à gauche, à droite, me fit signe : «Vas-y!»

Le fleuve se trouvait à trois cents mètres de la maison. Avant d'y arriver, il fallait traverser deux rues, passer par la petite place T. où l'on risquait de rencontrer des fêtards américains, en uniforme, qui fréquentaient le bar et la maison de tolérance[2] tenus par le propriétaire de notre immeuble lui-même. Éviter, ensuite, les péniches amarrées[3] le long de la berge[4] : pour cela, faire un détour, ce qui compliquait l'aventure. Je n'avais pas le choix. Je ne pouvais que jouer le tout pour le tout.

Après avoir jeté un dernier regard dans la rue, je pris le mort par les cheveux, le soulevai avec peine, posai sa tête sur la balustrade et sautai sur le trottoir. («Pourvu qu'il ne fasse pas tomber les poteries», pensai-je.) Je tirai du dehors. Ce fut comme si j'avais traîné la chambre à coucher, le long couloir, la salle à manger, l'appartement entier, tout l'immeuble; puis comme si je m'arrachais, moi-même, les sortant par ma bouche, mes propres entrailles, les poumons, l'estomac, le cœur, un tas de sentiments obscurs, de désirs insolubles, de pensées malodorantes, d'images moisies, croupissantes, une

---

1. Surveiller.
2. Maison close (avec des prostituées).
3. Attachées.
4. Bord du cours d'eau.

290 idéologie corrompue, une morale décomposée, des métaphores empoisonnées, des gaz délétères[1], fixés aux organes comme des plantes parasites. Je souffrais atrocement, je n'en pouvais plus, je suais des larmes, du sang. Il fallait tenir bon ; mais que c'était dur, et la peur d'être surpris, avec ça. J'avais passé par la fenêtre

295 sa tête, sa longue barbe, son cou, le tronc, me trouvai devant la porte cochère[2] de la maison voisine, cependant que les pieds étaient encore dans le corridor[3]. Madeleine, qui m'avait rejoint, tremblait de frayeur. Je tirai encore, de toutes mes forces, retenant, avec beaucoup de mal, un cri de douleur. Tirant

300 toujours, marchant à reculons (« Il n'y a personne, me disait Madeleine, toutes les fenêtres sont éteintes »), j'arrivai au coin de la rue, tournai, traversai, tournai, traversai. Une secousse. Tout le corps était sorti. Nous nous trouvions au beau milieu de la petite place T., éclairée comme en plein jour. Je haletai.

305 Un camion roulait, dans le lointain. Un chien hurla. Madeleine n'y tint plus : « Laisse-le et rentrons ! fit-elle.

— Ce serait imprudent ! Rentre, si tu veux. Je m'en occupe. »

Je demeurai seul. Je m'étonnai de voir combien le corps était devenu léger. Il avait beaucoup grandi, évidemment, mais en

310 s'amincissant puisqu'il ne s'était jamais nourri. Je tournai sur place ; le défunt s'enroulait autour de mon corps, comme un ruban. « Il sera ainsi plus facile de le porter jusqu'au fleuve », pensai-je.

---

1. Toxiques.
2. Grand portail d'entrée.
3. Couloir.

Hélas! lorsque sa tête arriva sur ma hanche, elle fit soudain
315 entendre ce sifflement aigu, prolongé, des morts. On ne pouvait s'y méprendre[1].

À ce sifflement, d'autres répondirent, de tous les côtés; la
police! Les chiens aboyèrent, les trains partirent, les fenêtres de
la place s'éclairèrent, des têtes s'y montrèrent, les Américains,
320 en uniforme, sortirent du bar, avec les filles.

Au coin de la rue, deux flics apparurent, sifflet en main.
Ils approchaient, en courant. Ils n'étaient plus qu'à deux pas.
J'étais perdu.

Tout à coup, la barbe du mort se déploya, en parachute, me
325 soulevant de terre. Un des flics fit un saut de géant : trop tard,
il n'attrapa que mon soulier gauche. Je lui jetai l'autre. Les soldats américains, enthousiasmés, prirent des photos. Je montais
très vite, tandis que les flics, me menaçant du doigt, criaient :
«Coquin! Petit coquin!» Toutes les fenêtres applaudissaient.
330 Seule, Madeleine, à la sienne, levant les yeux vers moi, me
lança, avec mépris : «Tu ne seras donc jamais sérieux! Tu
t'élèves, mais tu ne montes pas dans mon estime!»

J'entendis encore les Américains me saluer de leurs *hello boy!*
croyant à un exploit sportif; je laissai tomber mes vêtements, mes
335 cigarettes, les flics se les partagèrent. Puis ce ne furent que voies
lactées que je parcourais, oriflamme, à toute allure, à toute allure.

(N.R.F.[2], février 1954.)

---

1. Se tromper.
2. Revue littéraire (*La Nouvelle Revue française*) fondée en 1908.

La photo du colonel

J'étais allé voir le beau quartier, avec ses maisons toutes blanches entourées de petits jardins fleuris. Les rues, larges, étaient bordées d'arbres. Des voitures neuves, bien astiquées, stationnaient devant les portes, devant les allées des jardins. Le ciel était pur, la lumière bleue. J'enlevai mon pardessus[1], le mis sur mon bras.

« C'est la règle, dans ce coin, me dit mon compagnon, architecte de la municipalité, le temps y est toujours beau. Aussi, les terrains y sont-ils vendus très cher, les villas construites avec les meilleurs matériaux : c'est un quartier de gens aisés, gais, sains, aimables.

– En effet... Ici, je remarque, les feuilles des arbres ont déjà poussé, suffisamment pour laisser filtrer la lumière, pas trop pour ne pas assombrir les façades, alors que, dans tout le reste de la ville, le ciel est gris comme les cheveux d'une vieille femme, et qu'il y a encore de la neige durcie au bord des trottoirs, qu'il y vente. Ce matin, j'ai eu froid au réveil. C'est curieux, on est, tout à coup, au milieu du printemps ; c'est comme si je me trouvais à mille kilomètres au sud. Quand on prend l'avion, on a ce sentiment d'avoir assisté à la

---

1. Manteau.

transfiguration[1] du monde. Encore faut-il aller jusqu'à l'aéro-drome[2], voler deux heures, ou davantage, pour voir l'univers se métamorphoser en côte d'azur, par exemple. Tandis que là, à peine ai-je pris le tramway. Le voyage, qui n'en est pas un, a
25 lieu sur les lieux mêmes, si vous voulez bien excuser ce mauvais petit jeu de mots, d'ailleurs involontaire, fis-je, avec un sourire à la fois spirituel et contraint. Comment expliquez-vous cela ? Est-ce un endroit mieux protégé ? Il n'y a pas de collines, pourtant, tout autour, pour abriter contre le mauvais temps.
30 D'ailleurs, les collines ne chassent pas les nuages, n'abritent pas de la pluie, n'importe qui le sait. Est-ce qu'il y a des courants chauds et lumineux, venant d'en bas ou d'en haut ? On en serait informé. Il n'y a aucun vent, bien que l'air sente bon. C'est curieux.

35   — C'est un îlot, tout simplement, répondit l'architecte de la ville, une oasis, comme il y en a un peu partout dans les déserts où vous voyez surgir, au milieu des sables arides, des cités sur-prenantes, couvertes de roses fraîches, ceinturées[3] de sources, de rivières.

40   — Ah ! oui, c'est juste. Vous parlez de ces cités que l'on appelle aussi mirages[4] », dis-je pour montrer que je n'étais pas complètement ignorant.

---

1. Transformation radicale.
2. Petit aéroport.
3. Entourées.
4. Utopies.

Nous longeâmes quelque temps un parc de gazon, avec, en son centre, un bassin. Puis, de nouveau, les villas, les hôtels 45 particuliers[1], les jardins, les fleurs. Nous parcourûmes ainsi près de deux kilomètres. Le calme était parfait, reposant : trop, peut-être. Cela en devenait inquiétant.

« Pourquoi ne voit-on personne dans les rues ? demandai-je. Nous sommes les seuls promeneurs. C'est, sans doute, l'heure 50 du déjeuner, les habitants sont chez eux. Pourquoi, cependant, n'entend-on point les rires des repas, le tintement des cristaux ? Il n'y a pas un bruit. Toutes les fenêtres sont fermées ! »

Nous étions justement arrivés près de deux chantiers récemment abandonnés. Les bâtiments, à moitié élevés, étaient là, 55 blancs au milieu de la verdure, attendant les constructeurs.

« C'est assez charmant ! remarquai-je. Si j'avais de l'argent – hélas ! je gagne très peu – j'achèterais un de ces emplacements ; en quelques jours, la maison serait édifiée, je n'habiterais plus avec les malheureux, dans ce faubourg sale, ces sombres rues 60 d'hiver ou de boue ou de poussière, ces rues d'usines. Ici, ça sent si bon », dis-je, en aspirant un air doux et fort qui soûlait les poumons.

Mon compagnon fronça les sourcils :

« La police a suspendu les constructions. Mesure inutile, 65 car plus personne n'achète des lotissements[2]. Les habitants du quartier voudraient même le quitter. Ils n'ont pas où loger

---

1. Grandes demeures citadines appartenant à des gens fortunés.
2. Terrains à construire.

autre part. Sans cela, ils auraient tous plié bagage. Peut-être aussi se font-ils un point d'honneur de ne pas fuir. Ils préfèrent rester, cachés, dans leurs beaux appartements. Ils n'en sortent
70 qu'en cas d'extrême nécessité, par groupes de dix ou quinze. Et même alors, le risque n'est pas écarté.

– Vous plaisantez! Pourquoi prenez-vous cet air sérieux? Vous assombrissez le paysage; vous voulez me donner la frousse?

75 – Je ne plaisante pas, je vous assure.»

Je sentis un coup au cœur. La nuit intérieure m'envahit. Le paysage resplendissant, dans lequel je m'étais enraciné, qui avait, tout de suite, fait partie de moi-même ou dont j'avais fait partie, se détacha, me devint tout à fait extérieur, ne fut plus
80 qu'un tableau dans un cadre, un objet inanimé. Je me sentis seul, hors de tout, dans une clarté morte.

«Expliquez-vous! implorai-je. Moi qui espérais passer une bonne journée!… J'étais si heureux, il y a quelques instants!»

Nous retournions, précisément, au bassin.

85 «C'est là, me dit l'architecte de la municipalité, là-dedans, qu'on en trouve, tous les jours, deux ou trois, noyés.

– Des noyés?

– Venez donc vous convaincre que je n'exagère pas.»

Je le suivis. Arrivés au bord du bassin, j'aperçus, en effet,
90 flottant sur l'eau, le corps d'un officier du génie[1], gonflé, et

---

1. Officier chargé des constructions.

celui d'un garçonnet de cinq ou six ans, roulé dans son cerceau et tenant, dans sa main crispée, un bâtonnet.

« Il y en a même trois, aujourd'hui, murmura mon guide. Là », fit-il, en indiquant du doigt.

95   Une chevelure rousse, que j'avais prise, une seconde, pour de la végétation aquatique, émergeait du fond, demeurait accrochée sur le marbre qui bordait la pièce d'eau.

« Quelle horreur ! C'est une femme, sans doute ?

– Évidemment, dit-il en haussant les épaules, l'autre c'est un 100 homme, et l'autre un enfant. Nous n'en savons pas plus.

– C'est peut-être la mère du petit... Les pauvres ! Qui a fait ça ?

– L'assassin. Toujours le même personnage. Insaisissable.

– Mais notre vie est menacée. Allons-nous-en ! m'écriai-je.

105   – Avec moi, vous ne courez aucun danger. Je suis architecte de la ville, fonctionnaire municipal ; il ne s'attaque pas à l'administration. Lorsque je serai à la retraite, cela changera, mais pour le moment...

– Allons-nous-en », fis-je.

110   Nous nous éloignâmes à grands pas. J'avais hâte de quitter le beau quartier. « Les riches ne sont pas toujours heureux ! » pensai-je. J'en ressentis une détresse indicible. Je me sentis fourbu[1], meurtri, l'existence vaine. « À quoi bon tout, me disais-je, si ce n'est que pour en arriver là ? »

---

1. Fatigué.

115 «Vous espérez bien l'arrêter avant de prendre votre retraite? demandai-je.

– Ce n'est pas facile!... Vous pensez bien que nous faisons tout ce que nous pouvons...», répondit-il, d'un air morne[1]. Puis : «Pas par là, vous allez vous égarer, vous 120 tournez tout le temps en rond, vous ne faites que revenir sur vos pas...

– Guidez-moi... Ah! la journée avait si bien commencé. Je verrai toujours ces noyés, cette image n'abandonnera jamais ma mémoire!

125 – Je n'aurais pas dû vous montrer...

– Tant pis, mieux vaut tout connaître, mieux vaut tout connaître...»

En quelques instants, nous fûmes à la sortie du quartier, au bout de l'allée en marge du Boulevard Extérieur, 130 à l'arrêt du tramway qui traverse la ville. Des gens étaient là, qui attendaient. Le ciel était sombre. J'étais glacé. Je remis mon pardessus, nouai mon foulard autour du cou. Il pleuvait finement, de l'eau mêlée de neige, le pavé était mouillé.

135 «Vous n'allez pas rentrer tout de suite chez vous?» me dit le commissaire (c'est ainsi que j'appris qu'il était aussi commissaire). «Vous avez bien le temps de boire un verre...»

Le commissaire semblait avoir repris sa gaieté. Pas moi.

---

1. Abattu.

«Il y a un bistrot, là, près de l'arrêt, à deux pas du cimetière,
140 on y vend aussi des couronnes.

— Je n'ai guère envie, vous savez…

— Ne vous en faites pas. Si on pensait à tous les malheurs de l'humanité, on ne vivrait pas. Tout le temps il y a des enfants égorgés, des vieillards affamés, des veuves, des orphelins, des
145 moribonds[1].

— Oui, monsieur le commissaire, mais avoir vu cela de près, de mes yeux vu…, je ne puis demeurer indifférent.

— Vous êtes trop impressionnable», répondit mon compagnon, me donnant une grosse tape sur l'épaule.

150 Nous entrâmes dans la boutique.

«Nous allons tâcher de vous consoler!… Deux demis[2]!» commanda-t-il.

Nous nous installâmes près de la fenêtre. Le gros patron, en gilet, les manches retroussées laissant voir ses énormes bras
155 poilus, vint nous servir :

«Pour vous, j'ai de la vraie bière!»

Je fis un geste pour payer.

«Laissez, laissez, dit le commissaire, c'est ma tournée!»

J'étais toujours abattu.

160 «Au moins, dis-je, si vous aviez son signalement!

— Mais nous l'avons. Du moins, celui sous lequel il opère. Son portrait est affiché sur tous les murs.

---

1. Personnes en train de mourir.
2. Grands verres de cinquante centilitres de bière.

    « – Comment l'avez-vous eu ?

    – On l'a trouvé sur des noyés. Quelques-unes de ses vic-
165 times, agonisantes, rappelées à la vie pour un moment, ont
pu même nous fournir des précisions supplémentaires. Nous
savons aussi comment il s'y prend. Tout le monde le sait,
d'ailleurs, dans le quartier.

    – Mais alors pourquoi ne sont-ils pas plus prudents ? Ils
170 n'ont qu'à l'éviter.

    – Ce n'est pas si simple. Je vous le dis, il y en a toujours,
tous les soirs, deux ou trois qui tombent dans le piège. Mais lui,
il ne se fait jamais prendre.

    – Je n'arrive pas à comprendre. »
175 J'étais étonné de m'apercevoir que cela avait plutôt l'air
d'amuser l'architecte.

    « Tenez, me dit-il, c'est là, à l'arrêt du tramway, qu'il fait
son coup. Lorsque des passagers en descendent pour rentrer
chez eux, il va à leur rencontre, déguisé en mendiant. Il pleur-
180 niche, demande l'aumône[1], tâche de les apitoyer. C'est le truc
habituel : il sort de l'hôpital, n'a pas de travail, en cherche,
n'a pas où passer la nuit. Ce n'est pas cela qui réussit, ce
n'est qu'une entrée en matière. Il flaire, il choisit la bonne
âme. Entame la conversation avec elle, s'accroche, ne la lâche
185 pas d'une semelle. Il propose de lui vendre de menus objets
qu'il sort de son panier, des fleurs artificielles, des ciseaux,
des miniatures obscènes, n'importe quoi. Généralement, ses

---

1. De l'argent.

services sont refusés, la bonne âme se dépêche, elle n'a pas le temps. Tout en marchandant, il arrive avec elle près du bassin que vous connaissez. Alors, tout de suite, c'est le grand moyen : il offre de lui montrer la photo du colonel. C'est irrésistible. Comme il ne fait plus très clair, la bonne âme se penche pour mieux voir. À ce moment, elle est perdue. Profitant de ce qu'elle est confondue[1] dans la contemplation de l'image, il la pousse, elle tombe dans le bassin, elle se noie. Le coup est fait. Il n'a plus qu'à s'enquérir[2] d'une nouvelle victime.

— Ce qui est extraordinaire, c'est qu'on le sache et qu'on se laisse surprendre quand même.

— C'est un piège, que voulez-vous. C'est astucieux. Il n'a jamais été pris sur le fait. »

Machinalement, je regardai les gens descendre du tramway qui, justement, venait d'arriver. Je n'y vis aucun mendiant.

« Vous ne le verrez pas, me dit le commissaire, devinant ma pensée, il ne se montrera pas, il sait que nous sommes là.

— Peut-être feriez-vous bien de poster, à cet endroit, un inspecteur en civil, de façon permanente.

— Ce n'est pas possible. Nos inspecteurs sont débordés, ils ont autre chose à faire. D'ailleurs, eux aussi voudraient voir la photo du colonel. Il y en a eu déjà cinq de noyés, comme ça. Ah ! si nous avions les preuves, nous saurions où le trouver ! »

---

1. Plongée.
2. Partir à la recherche.

Je quittai mon compagnon, non sans l'avoir remercié d'avoir bien voulu m'emmener visiter le beau quartier, et aussi de s'être si aimablement laissé interviewer au sujet de tous ces crimes impardonnables. Hélas, ses révélations instructives ne paraîtront dans aucun quotidien : je ne suis pas journaliste, je ne me suis jamais vanté de l'être. Les renseignements du commissaire-architecte avaient été purement bénévoles. Ils m'avaient rempli d'angoisse, gratuitement. Ce fut plein d'un malaise indéfinissable que je regagnai la maison.

Édouard m'y attendait dans le salon de l'éternel automne, bas de plafond, sombre (l'électricité ne fonctionne pas dans la journée). Il était là, assis sur le bahut[1], près de la fenêtre, de noir vêtu, tout mince, la figure pâle et triste, les yeux ardents[2]. Sans doute avait-il encore un peu de fièvre. Il remarqua que j'étais accablé[3], m'en demanda la raison. Lorsque je voulus lui exposer l'affaire, il m'arrêta dès les premiers mots : il connaissait l'histoire, m'apprit-il de sa voix tremblante, presque enfantine, il était même surpris que je ne l'eusse pas connue, moi-même, plus tôt. Toute la ville était au courant. C'est pour cela qu'il ne m'en avait jamais parlé. C'était une chose sue depuis longtemps, assimilée. Regrettable, certes.

« Très regrettable ! » fis-je.

---

1. Coffre en bois.
2. Brillants.
3. Découragé.

À mon tour, je ne lui cachai pas ma surprise qu'il n'en fût
235 pas plus bouleversé. Après tout, peut-être étais-je injuste, peut-
être était-ce cela le mal qui le rongeait, car il était tuberculeux[1].
On ne peut connaître le cœur des gens.

«Si on allait se promener un peu, dit-il. Je vous attends
depuis une heure. Je gèle chez vous. Il fait certainement plus
240 chaud dehors.»

Quoique déprimé, fatigué (j'aurais préféré aller me coucher),
j'acceptai de l'accompagner.

Il se leva, mit son chapeau de feutre orné d'un crêpe noir[2],
son pardessus gris-fer, prit sa lourde serviette[3] bourrée qu'il
245 laissa tomber avant d'avoir fait un pas. Celle-ci s'ouvrit dans
sa chute. Nous nous précipitâmes, en même temps. D'une
des poches de la serviette, des photos s'étaient échappées,
représentant un colonel en grand uniforme, moustachu, un
colonel quelconque, une bonne tête plutôt attendrissante.
250 Nous mîmes la serviette sur la table, pour y fouiller plus à
l'aise : nous en sortîmes encore des centaines de photos avec le
même modèle.

«Qu'est-ce que cela veut dire ? demandai-je, c'est la photo, la
fameuse photo du colonel ! Vous l'aviez là, vous ne m'en aviez
255 jamais parlé !

— Je ne regarde pas tout le temps dans ma serviette, répli-
qua-t-il.

---

1. Souffrait des poumons.
2. Bandeau de tissu que l'on porte sur un vêtement en signe de deuil.
3. Porte-documents.

– C'est votre serviette pourtant, vous ne vous en séparez jamais!

260   – Ce n'est pas une raison.

– Bref, profitons de l'occasion, tant qu'on y est, cherchons encore.»

Il plongea, dans les autres poches de son énorme serviette noire, sa main trop blanche d'infirme, aux doigts recourbés.
265 Il en retira (comment tout cela pouvait-il tenir là-dedans?) des quantités inimaginables de fleurs artificielles, des images obscènes, des bonbons, des tirelires, des montres d'enfant, des épingles, des porte-plume, des boîtes en carton, que sais-je encore, tout un fourbi[1], des cigarettes («Celles-là m'appar-
270 tiennent», dit-il). Il n'y avait plus de place sur la table.

– Ce sont les objets du monstre! m'écriai-je. Vous les aviez là!

– Je n'en savais rien.

– Videz tout, l'encourageai-je. Allez!»

Il continua de fouiller. Des cartes de visite apparurent avec
275 le nom, l'adresse du criminel, sa carte d'identité avec photo, puis, dans un petit coffret, des fiches avec les noms de toutes les victimes; un journal intime que nous feuilletâmes, avec ses aveux détaillés, ses projets, son plan d'action minutieux, sa déclaration de foi[2], sa doctrine[3].

280   «Vous avez là toutes les preuves. Nous pouvons le faire arrêter.

---

1. Ensemble d'objets divers.
2. Confession.
3. Ses idées.

— Je ne savais pas, balbutia-t-il, je ne savais pas…

— Vous auriez pu épargner tant de vies humaines, lui reprochai-je.

285 — Je suis confus. Je ne savais pas. Je ne sais jamais ce que j'ai, je ne regarde pas dans ma serviette.

— C'est une négligence condamnable! dis-je.

— Je m'en excuse. Je suis navré.

— Enfin, Édouard, tout de même, ces choses ne sont pas 290 venues toutes seules là-dedans. Vous les avez trouvées, vous les avez reçues!»

J'eus pitié. Il était devenu tout rouge, vraiment honteux.

Il fit un effort de mémoire.

«Ah, oui! s'écria-t-il au bout de quelques secondes. Je me 295 rappelle à présent. Le criminel m'avait envoyé son journal intime, ses notes, ses fiches, il y a bien longtemps, me priant de les publier dans une revue littéraire, c'était avant l'accomplissement des meurtres; j'avais complètement perdu tout cela de vue. Je crois que lui-même ne pensait pas les perpétrer[1]; 300 il n'a dû songer que par la suite à mettre ses projets en actes; quant à moi, j'avais pris cela pour des rêveries ne portant pas à conséquence, de la science-fiction. Je regrette de ne pas avoir réfléchi à la question, de ne pas avoir mis tous ces documents en rapport avec les événements.

305 — Le rapport est, pourtant, celui de l'intention à la réalisation, ni plus ni moins, c'est clair comme le jour.»

---

1. Commettre.

De la serviette, il retira aussi une grande enveloppe que nous ouvrîmes : c'était une carte, un plan très précis avec, bien indiqués, tous les endroits où se trouvait l'assassin, et son horaire 310 exact, minute par minute.

« C'est simple, dis-je. Avertissons la police, il ne reste plus qu'à le cueillir. Dépêchons-nous, les bureaux de la préfecture ferment avant la nuit. Après, il n'y a plus personne. D'ici demain, il pourrait modifier ses plans. Allons voir l'architecte, 315 montrons-lui les preuves.

– Je veux bien », fit Édouard, plutôt indifférent.

Nous sortîmes en courant. Dans le couloir, nous bousculâmes la concierge, au passage : « On n'a pas idée… », s'écriat-elle. Le reste de sa phrase se perdit dans le vent.

320 Sur la grande avenue, essoufflés, nous dûmes ralentir. À droite, les champs s'étendaient, labourés, à perte de vue. À gauche, les premiers immeubles de la ville. Droit, devant nous, le soleil couchant empourprait[1] le ciel. Des deux côtés, de rares arbres, dépouillés. Peu de passants.

325 Nous longions les rails du tramway (celui-ci ne circulait-il déjà plus ?) qui s'étendaient, loin, jusqu'à l'horizon.

Trois ou quatre gros camions militaires, venus je ne sais d'où, bloquèrent soudain la route. Ils étaient stoppés, en marge du trottoir ; celui-ci, à cet endroit, descendait sous le niveau de 330 la chaussée qui, elle, semblait, de ce fait, surélevée.

---

1. Rougissait.

Édouard et moi dûmes nous arrêter un instant ; heureusement, car cela me permit de m'apercevoir que mon ami n'avait pas sa serviette : « Qu'en avez-vous fait, je croyais pourtant que vous l'aviez sur vous ? » lui dis-je. L'étourdi ! Il l'avait oubliée à la maison, dans notre précipitation.

« Ça ne servirait à rien d'aller voir le commissaire sans nos preuves ! À quoi pensez-vous donc ? Vous êtes ahurissant ! Retournez vite la chercher. Je dois continuer mon chemin, il faut, au moins, que j'aille à la préfecture, prévenir le commissaire à temps, qu'il attende. Dépêchez-vous, retournez, tâchez de me rejoindre au plus tôt. La préfecture est tout au bout. Dans une entreprise[1] comme celle-ci, je n'aime pas être seul sur la route, c'est désagréable, vous comprenez. »

Édouard disparut. J'avais assez peur. Le trottoir s'enfonçait davantage, si bien que l'on avait dû construire des marches, quatre, exactement, pour que les piétons accédassent à la chaussée. J'étais tout près d'un des gros camions (les autres étaient devant, derrière). Celui-là était découvert, avec des rangées de bancs, sur lesquels étaient assis, serrés, une quarantaine de jeunes soldats, en uniforme foncé. L'un d'entre eux tenait à la main un épais bouquet d'œillets rouges. Il s'en servait comme d'un éventail.

Quelques flics arrivèrent pour régler la circulation, à coups de sifflets. Ils faisaient bien, cet embouteillage me retardait. Ils

---

1. Un projet.

355 étaient d'une taille démesurée. L'un d'eux, installé près d'un arbre, le dépassait quand il levait son bâton.

Chapeau bas, petit, modestement vêtu, un monsieur aux cheveux blancs, paraissant plus petit encore aux côtés de l'agent, lui demanda, très, trop poliment, avec humilité[1], un
360 modeste renseignement. Sans s'interrompre dans ses signaux, le flic, d'un ton rogue[2], donna une réponse brève au retraité (qui eût pu, cependant, être son père, étant donnée la différence d'âge, sinon celle de la taille, qui ne jouait pas en faveur du vieillard). Celui-ci, sourd, ou n'ayant peut-être pas compris,
365 répéta sa question. Le flic l'envoya promener d'un mot rude, tourna la tête, continua son travail, siffla.

L'attitude de l'agent m'avait choqué. Il avait pourtant *le devoir* d'être poli avec le public : ce doit certainement être inscrit dans le règlement. «Lorsque je verrai son chef, l'archi-
370 tecte, je tâcherai de ne pas oublier de lui en parler!» pensai-je. Quant à nous, nous sommes trop polis, trop timides avec les policiers, nous leur avons donné de mauvaises habitudes, c'est notre faute.

Un second agent, aussi grand que le premier, arriva tout
375 près de moi, sur le trottoir; les camions, l'embouteillage, l'ennuyaient visiblement, en quoi, il faut l'admettre, il n'avait pas tort. Sans qu'il eût besoin de monter sur les marches reliant le trottoir à la chaussée, il s'approcha tout près du camion

---

1. Modestement, discrètement.
2. Hautain.

plein de soldats. Sa tête, bien que ses pieds fussent au niveau des miens, dépassait légèrement leurs têtes. Il réprimanda durement – les accusant d'embarrasser la circulation – les militaires qui n'y étaient pour rien, et spécialement le jeune porteur du bouquet d'œillets rouges, qui y était encore pour moins.

« Vous n'avez pas autre chose à faire que de vous amuser avec ça ? lui dit-il.

– Je ne fais pas de mal, monsieur l'agent, répondit le soldat très doucement, d'une voix timide ; ce n'est pas cela qui empêche le camion de démarrer.

– Insolent, ça enraye[1] le moteur !» s'écria l'agent de police, en giflant le soldat. Celui-ci ne dit mot. Puis l'agent lui arracha les fleurs, les jeta : elles disparurent.

J'en fus, intérieurement, outré. Je considère qu'un pays est perdu dans lequel la police a le pas, et la main, sur l'armée.

« De quoi vous mêlez-vous ? Est-ce que ça vous regarde ?» dit-il en se tournant vers moi.

Pourtant, je n'avais pas exprimé mes pensées à haute voix. Elles devaient être faciles à deviner.

« D'abord, qu'est-ce que vous fichez là ?»

Je profitai de la question pour lui expliquer mon cas, éventuellement demander son conseil, son aide.

« J'ai toutes les preuves, dis-je, on peut mettre la main sur l'assassin. Je dois me rendre à la préfecture. C'est encore assez

---

1. Bloque.

loin. Peut-on m'y accompagner? Je suis un ami du commis-
405 saire, de l'architecte.

– Ce n'est pas mon rayon. Je suis dans la circulation.

– Tout de même...

– Ce n'est pas mon boulot, vous m'entendez! Votre histoire ne m'intéresse pas. Puisque vous êtes lié avec le chef, allez
410 donc le voir et fichez-moi la paix. Vous connaissez la direction,
déguerpissez[1], la voie est libre.

– Bon, monsieur l'agent, dis-je, aussi poli, malgré moi, que
le soldat; bon, monsieur l'agent!»

Le flic s'adressa à son collègue, posté à côté de l'arbre et,
415 durement ironique :

«Laisse passer monsieur!»

Ce dernier, dont je voyais la figure à travers les branches, me
fit signe de filer. Comme je passais près de lui :

«Je vous déteste!» me lança-t-il, avec rage, alors que c'est
420 moi qui eusse été en droit de lui dire cela.

Je me trouvai seul au milieu de la route, les camions déjà
loin derrière moi. J'allais vivement, droit vers la préfecture. Le
jour baissait, la bise[2] se faisait dure, j'étais inquiet. Édouard
pourrait-il me rejoindre à temps? Et j'étais en colère contre la
25 police : ces gens-là ne sont bons que pour vous embêter, pour
vous apprendre les bonnes manières, mais quand vous avez

---

1. Partez immédiatement.
2. Vent froid.

vraiment besoin d'eux, quand c'est pour vous défendre,... à
d'autres!... ils vous laissent tomber!

    Il n'y avait plus de maisons, à ma gauche. Des deux côtés,
430 les champs gris. Cette route, ou cette avenue, n'en finissait plus
avec ses rails de tramway. Je marchais, marchais : «Pourvu qu'il
ne soit pas trop tard, pourvu qu'il ne soit pas trop tard!»

    Brusquement, il surgit devant moi. Aucun doute, c'était
l'assassin : autour de nous, rien que la plaine assombrie. Le
435 vent jeta contre le tronc d'un arbre nu une feuille d'un vieux
journal, qui s'y colla. Derrière l'homme, au loin, à plusieurs
centaines de mètres, se profilaient, dans le soleil couchant, les
bâtiments de la préfecture, près de l'arrêt du tramway que l'on
voyait arriver; des gens en descendaient, tout menus[1] à cette
440 distance. Aucun secours n'était possible, ils étaient beaucoup
trop loin, ils ne m'auraient pas entendu.

    Je m'arrêtai pile, paralysé sur place. «Ces sales flics, pensai-
je, ils ont fait exprès de me laisser seul avec lui; ils veulent que
l'on croie qu'il ne se sera agi que d'un règlement de comptes!»
445   Nous étions face à face, à deux pas l'un de l'autre. Je le
regardai, en silence, attentif. Il me dévisageait, lui aussi, à peine
ricanant.

    C'était un homme entre deux âges, maigriot[2], chétif[3],
très court de taille, mal rasé, ne semblant pas avoir ma force

---

1. Minces.
2. Maigrichon et maladif.
3. Fragile.

⁴⁵⁰ physique. Il portait une gabardine[1] usée et sale, déchirée aux poches, des chaussures aux bouts troués, à travers lesquels ses orteils perçaient. Sur la tête, il avait un chapeau tout abîmé, informe ; une main dans la poche ; de l'autre, crispée, il tenait un couteau avec une grande lame, projetant une lueur livide[2]. ⁴⁵⁵ Il me fixait de son œil unique, glacial, de la même matière, du même éclat que le tranchant de son arme.

Jamais je n'avais vu un regard si cruel, d'une telle dureté – et pourquoi ? – d'une telle férocité. Un œil implacable[3], de serpent peut-être, ou de tigre, meurtrier sans besoin. Aucune ⁴⁶⁰ parole, amicale ou autoritaire, aucun raisonnement n'auraient pu le convaincre ; toute promesse de bonheur, tout l'amour du monde, n'auraient pu l'atteindre ; ni la beauté n'aurait pu le faire fléchir, ni l'ironie lui faire honte, ni tous les sages du monde lui faire comprendre la vanité[4] du crime comme de la ⁴⁶⁵ charité[5].

Les larmes des saints auraient glissé, sans le mouiller, sur cet œil sans paupières, ce regard d'acier ; des bataillons[6] de Christ se seraient succédé, en vain, pour lui, sur les calvaires[7].

Lentement, je sortis de mes poches mes deux pistolets, les ⁴⁷⁰ braquai, en silence, deux secondes, sur lui, qui ne bougeait pas,

---

1. Manteau imperméable.
2. Pâle.
3. Impitoyable.
4. L'inutilité.
5. Amour désintéressé.
6. Un très grand nombre.
7. Lieux de pèlerinage où l'on célèbre la Passion et la Crucifixion du Christ.

puis les baissai, laissai tomber mes bras le long du corps. Je me sentis désarmé, désespéré : car que peuvent les balles, aussi bien que ma faible force, contre la haine froide, et l'obstination, contre l'énergie infinie de cette cruauté absolue, sans raison,

475 sans merci[1] ?

(N.R.F.[2], 1er novembre 1955.)

---

1. Sans pitié.
2. Revue littéraire (*La Nouvelle Revue française*) fondée en 1908.

Après-texte

RHINOCÉROS EN LIBERTÉ !

Lire

1 Comment la première phrase de la nouvelle est-elle construite pour ménager le suspense ?

2 Quelle est la réaction du narrateur après l'apparition du rhinocéros ?

3 La relation entre Jean et le narrateur est-elle, selon vous, très « amicale » ? Expliquez.

4 Donnez deux exemples qui montrent l'humour du narrateur. Que sait-on de lui à la fin de notre passage ?

5 Comment comprenez-vous la remarque de Jean à propos des Asiatiques (« Ils sont jaunes ! », p. 13, l. 126) ? Que révèle-t-elle ?

6 Que pouvez-vous dire sur le personnage de Jean ?

7 Combien d'apparitions le rhinocéros fait-il dans cette partie ? Quelle est la progression entre ces interventions ?

8 Le débat sur le nombre de cornes vous semble-t-il essentiel pour expliquer l'apparition des rhinocéros ? Comment le comprendre ?

9 Le discours du logicien permet-il de comprendre l'apparition du rhinocéros ? Que montre-t-il ?

Écrire

10 Transformez le premier dialogue entre Jean et le narrateur en discours indirect.

11 Vous êtes témoin d'un événement vraiment insolite : racontez.

Chercher

12 La nouvelle intitulée « Rhinocéros » a été adaptée au théâtre. Préparez un exposé sur cette pièce.

13 Où cette œuvre a-t-elle été jouée pour la première fois et quelles furent les réactions du public ?

14 Dans quel théâtre parisien joue-t-on aujourd'hui des pièces de Ionesco ? Faites une recherche pour savoir si des œuvres de Ionesco sont programmées dans votre région ou ailleurs.

15 Il est question, ligne 64 (p. 11), du « théâtre d'avant-garde ». À quels auteurs renvoie cette formule en 1957 ?

16 Faites des recherches sur le dédicataire de cette nouvelle.

Oral

17 « La vie est malheur. Cela ne m'empêche pas de préférer la vie à la mort, exister à ne pas exister », déclare Ionesco dans son *Journal en miettes*. Qu'en pensez-vous ?

18 Les dialogues dans cette partie favorisent-ils l'entente entre les personnages ou révèlent-ils plutôt la difficulté à se comprendre ? Donnez quelques exemples.

LE DIALOGUE RÉVÉLATEUR

Si l'on en croit une anecdote que Ionesco aimait raconter (dans *Antidotes*, par exemple), son goût pour le dialogue a existé dès sa première rédaction d'enfant, à l'âge de 9 ans. « La fête du village venait d'avoir lieu. On nous demanda de la raconter, [...] le maître lut ma rédaction à haute voix devant toute la classe. [...] ce qui l'impressionnait, c'était que le récit était dialogué, contrairement à celui de tous les autres. » Dès les premières lignes de « Rhinocéros », on peut remarquer l'importance des saynètes dialoguées : elles sont très utilisées par Ionesco dans les nouvelles de ce recueil. Chacun des trois récits deviendra d'ailleurs une pièce de théâtre. Ce goût insatiable pour la forme dialoguée conduira Ionesco à écrire de nombreuses œuvres pour le théâtre et à livrer aussi des livres d'entretiens très riches. Paradoxalement, chez lui, les dialogues montrent aussi l'impossibilité d'échanger avec les autres. « La plupart du temps, les gens ne veulent pas entendre l'autre, l'écouter », précise-t-il. Certains critiques ont même parlé « d'incommunicabilité » à propos de son théâtre, notion qu'il rejette : « Si je croyais vraiment à l'incommunicabilité absolue, je n'écrirais pas. Un auteur, par définition, est quelqu'un qui croit à l'expression. Je crois que la communication est possible, sauf si on la refuse pour toutes sortes de raisons. » (*Entre la vie et le rêve*)

Les dialogues, dans ses récits, sont de formidables révélateurs. À l'aide de la parole, Ionesco montre ce que cachent les mots. Ils dissimulent parfois une mauvaise foi ou trahissent des sentiments bien troubles, des mésententes ou des malentendus (« l'amitié » entre Jean et le narrateur dans « Rhinocéros » ; l'amour mort dans « Oriflamme »). Ils montrent notre goût pour un langage artificiel. L'utilisation des clichés, que Ionesco tourne en dérision dans son théâtre, le démontre (« On peut parler sans penser. Il y a pour cela à notre disposition les clichés, c'est-à-dire les automatismes », précise-t-il dans *Journal en miettes*). Il y a aussi l'idéologie, la propagande, les slogans, qui sont autant de perversions du langage où l'individu (Jean, Botard dans « Rhinocéros ») s'aliène en répétant des formules vides et en adoptant le langage impersonnel du « on ». L'homme adopte alors une parole inauthentique qui est une carapace sans cœur, premier indice de sa métamorphose.

MÉTAMORPHOSE

Pour comprendre

Lire

1 Quel regret éprouve le narrateur au début de notre passage ? Que fait-il alors ?

2 Quels sont les différents personnages présents dans cette partie ? Essayez de qualifier chacun d'eux en utilisant deux adjectifs.

3 Quelle est l'attitude de Botard durant le dialogue ? À qui s'oppose-t-il ? Pourquoi, selon vous ?

4 Botard évoque la religion qui est « l'opium du peuple ». À qui emprunte-t-il cette citation ? Que montre cet emprunt ?

5 Qui évoque en premier la « propagande » ? Que désigne ce mot ?

6 Quel est le premier personnage à se métamorphoser ? Avait-il été question jusque-là d'une métamorphose pour les personnages ?

7 Quels sont les changements physiques qui accompagnent la métamorphose de Jean ?

8 De quelle façon Jean réagit-il quand son interlocuteur évoque la métamorphose de M. Bœuf ?

9 Que signifie, selon vous, le mot « humanisme » cité par Jean ? Que veut dire sa formule : « l'humanisme est périmé » ?

10 Quels sont les mots qui signalent l'humeur de Jean lors de sa métamorphose ? Qu'indiquent-ils ?

11 La menace grandit pour le narrateur à la fin de notre passage. Montrez-le précisément.

Écrire

12 Transformez l'échange entre Jean et le narrateur (l. 330-389) en scène théâtrale. Vous insérerez des didascalies.

13 « J'ai eu l'idée de peindre sous les traits d'un animal ces hommes déchus dans l'animalité, ces bonnes fois abusées, ces mauvaises fois qui abusent », déclarait Ionesco dans un entretien. Y a-t-il, aujourd'hui, des exemples de métamorphoses comparables ? Répondez sous forme de paragraphes argumentatifs structurés.

Chercher

14 Ionesco admirait l'œuvre de Kafka intitulée *La Métamorphose*. Lisez ce livre et préparez un exposé pour la classe.

15 Les animaux sont parfois utilisés dans la littérature pour représenter les dérives ou les caractères particuliers du genre humain. Donnez deux exemples et expliquez-les.

Oral

16 Dans *Notes et contre-notes*, Ionesco écrit : « Une œuvre d'art est l'expression d'une réalité incommunicable que l'on essaie de communiquer et qui, parfois, peut être communi- quée. » Avez-vous des exemples qui pourraient illustrer cette réflexion ?

À SAVOIR

LA MÉTAMORPHOSE

La métamorphose d'un être humain en animal est un thème très ancien. Dans *l'Odyssée* (Homère), Circé transforme les compagnons d'Ulysse en pourceaux. Dans *Les Métamorphoses* d'Ovide, Actéon est transformé en cerf pour avoir surpris Artémis nue et Arachné est méta- morphosée en araignée pour avoir surpassé Athéna. Chez Apulée, Lucius devient un âne (*L'Âne d'or*). On pourrait évoquer aussi quelques contes du Moyen Âge (*Les Lais* de Marie de France, par exemple) dans lesquels un amoureux se transforme en oiseau pour rejoindre sa bien-aimée enfermée dans une tour (*Yonec*) ou un mari se transforme en loup-garou (*Bisclavret*). Ionesco cite une autre référence : *La Métamorphose* de Kafka, œuvre dans laquelle le héros, Gregor Samsa, se réveille un matin transformé en « monstrueux insecte ». Il sera rejeté alors par son père et sa famille pour sa différence (rejet qui est peut-être aussi l'explication de son changement). Dans son livre *Entre la vie et le rêve*, Ionesco donne une interprétation très personnelle du récit de Kafka qui pourrait s'appliquer à « Rhinocéros » : « chacun peut devenir un monstre [...] ce qui est monstrueux en nous peut prendre le dessus ; les foules, les peuples se déshumanisent d'ailleurs périodiquement : guerres, jacqueries, pogroms, fureurs et crimes collectifs, tyrannies et oppressions. »

La métamorphose en rhinocéros montre une régression de l'être humain vers la sauvagerie, la brutalité aveugle. Ionesco traduit visuellement le processus de déshumanisation et d'aliénation qui peut transformer un être humain ordinaire en bourreau, en criminel, en terroriste livré entièrement aux pulsions de mort et de destruction.

Cette métamorphose symbolique en animal violent devient, avec Ionesco, une image universelle qui dépasse les références à une idéologie particu- lière ou à un contexte historique. Le rhinocéros est le symbole du fanatisme haineux, de l'intolérance absolue, de la cruauté envers des boucs émis- saires ou des êtres honnis pour leur différence, autant de dérives qui nour- rissent les phénomènes d'« hystérie collective » et peuvent rendre l'homme « inhumain ». Face à cette régression, la culture et l'éducation ont pour ambition de rendre plus « humain », tel est du moins le credo humaniste.

L'IRRÉDUCTIBLE

Lire

1 Quels sont les différents personnages qui se métamorphosent dans cette partie ?

2 Quels sont les personnages qui justifient leur changement ou tentent de l'expliquer ? De quelle façon ?

3 Qui utilise le mot « résister » la première fois et dans quel contexte ?

4 Qui s'inquiète en premier de la contagion générale de « rhinocérite » ?

5 Comment la population réagit-elle devant la prolifération des animaux ? Le narrateur réagit-il de la même façon ?

6 Quelles sont les indications qui montrent que l'isolement et la réclusion du couple progressent dans cette partie ?

7 Comment évolue la relation entre le narrateur et Daisy dans cette partie ? Est-ce une surprise, selon vous ?

8 Quels sont les sentiments que manifeste le narrateur à la fin de la nouvelle ?

Écrire

9 Faites le résumé de la nouvelle en une dizaine de lignes.

10 Écrivez un compte-rendu de lecture sur cette nouvelle pour un journal de collégiens ou de lycéens.

Chercher

11 Comparez la fin de la nouvelle et le monologue final de Bérenger dans la pièce *Rhinocéros*.

12 La nouvelle est parfois jouée elle aussi au théâtre. Faites des recherches sur Internet pour trouver des informations sur les adaptations scéniques.

Oral

13 « Une création artistique est, par sa nouveauté même, agressive, spontanément agressive ; elle va contre le public, contre la grande partie du public, elle indigne par son insolite », écrit Ionesco dans *Notes et contre-notes*. Expliquez ce propos et donnez des exemples.

14 Dans un livre intitulé *Les Refusants*, Philippe Breton distingue les résistants, qui agissent pour des motifs politiques ou idéologiques revendiqués, des « refusants ». Ces derniers ne sont pas des opposants affirmés ou des héros téméraires, mais ils refusent d'obéir quand certaines injonctions rebutent leur conscience. Dans quelle mesure peut-on rapprocher le narrateur de « Rhinocéros » de l'une ou l'autre de ces catégories ? Vous donnerez votre avis en justifiant votre choix.

Pour comprendre

LA « RHINOCÉRITE »

Ionesco a souvent appelé « rhinocérite » le mal collectif et la soudaine contagion des esprits qui ont gagné la Roumanie dans les années 30 avec le succès des Gardes de fer. Il a vu ses amis changer de discours, adopter l'idéologie sectaire d'une extrême droite antisémite. « La "rhinocérite", explique-t-il, c'était le nazisme en Roumanie, et puis ça a été, après, toutes sortes de totalitarismes. » Ionesco pense aussi au régime communiste. Une des sources de « Rhinocéros », confie-t-il, est le témoignage du philosophe Denis de Rougemont qui assiste, en 1936, à un meeting nazi à Nuremberg. À l'apparition d'Hitler, une « hystérie » se répand comme une marée dans la foule envahie par la ferveur fanatique. La vague d'enthousiasme semble même toucher Rougemont lorsque, dans une sorte de sursaut de conscience, tout son être se rebiffe et refuse l'idolâtrie. Ionesco commente : « il se sentait mal à l'aise, affreusement seul, dans la foule, à la fois résistant et hésitant. » Ionesco a relaté aussi le rejet viscéral suscité chez lui par toutes les incarnations de l'autorité qui réduisent l'homme à une obéissance infantile et craintive. Il préfère les réfractaires.

« Rhinocéros » pose un problème essentiel : comment des êtres humains ordinaires, gagnés par une idéologie, en viennent à se muer en délateurs, en brutes, en bourreaux ? Et comment se fait-il que quelques êtres refusent la soumission, l'idéologie à la mode, l'obéissance à un « chef » supposé intouchable en risquant leur carrière, leur vie, leur intégration au groupe ? Parmi les multiples explications, retenons-en deux mises en évidence par l'historien Christopher Browning (*Les Hommes ordinaires*) : la soumission à l'autorité et le conformisme de groupe. La « rhinocérite » est contagieuse car il est difficile de s'opposer quand les autres, autour de soi, obéissent ou adhèrent à une idéologie. Seuls des êtres d'exception peuvent rester indifférents au mépris qui les frappe et à la solitude qui les guette, explique Browning. L'obéissance au « chef » et l'adhésion au groupe rassurent et évitent les soucis. « L'heureuse soumission » permet « la sieste intellectuelle », la tranquillité, un sentiment de sécurité apaisant, explique le psychanalyste Boris Cyrulnik (*Ivres paradis, bonheurs héroïques*). Il ajoute : « on éprouve un intense apaisement en se soumettant à la doxa, cet ensemble d'opinions convenues qui nous évite de penser et nous aide à bêler au milieu du troupeau. » Le philosophe Frédéric Gros précise : « Être libre, c'est s'émanciper du désir d'obéir, assécher en soi la passion de la docilité. » (*Désobéir*)

LE CADAVRE VIVANT

Lire

1 Quelle information surprenante comporte l'incipit du récit ? Connaissez-vous un autre texte dont l'attaque soit aussi déroutante ?

2 Quel personnage a l'initiative du dialogue et des échanges dans le couple ? Montrez-le précisément.

3 Le narrateur fait preuve d'autodérision au début de la nouvelle. Relevez quelques exemples.

4 Quelle est l'attitude principale de Madeleine à l'égard de son mari ? Expliquez.

5 Quelles sont les différentes possibilités évoquées par Madeleine pour se débarrasser du cadavre ? Sont-elles logiques et envisageables ?

6 Les dialogues révèlent-ils de l'amour ou de la tendresse entre les deux personnages ? Comment qualifieriez-vous leur relation ?

7 On pourrait dire que le cadavre est paradoxalement un « mort vivant » : comment appelle-t-on la figure de style qui associe deux mots contraires ? Expliquez pourquoi ce cadavre semble vivant.

8 Quelle est l'attitude de Madeleine à l'égard de ce cadavre ?

9 À quels moments le thème de l'argent apparaît-il dans ces pages ? Qu'apprend-on ?

10 Dans quelles circonstances ce cadavre s'est-il retrouvé dans l'appartement ? Que révèlent ces informations sur le couple ?

11 Que suggère alors Madeleine ?

Écrire

12 Résumez en cinq lignes le début de ce récit.

13 Imaginez une scène de théâtre dans laquelle un couple se disputera.

14 À propos de la pièce écrite à partir de cette nouvelle, Ionesco déclarait : « Ma pièce est surtout le drame d'un couple. Un drame réaliste, mais traité avec des moyens inhabituels, des éléments insolites, comme ce personnage monstrueux qui matérialise entre ces deux êtres une sorte de génie irréductible : leur impuissance d'aimer sans doute provoquée par une espèce de culpabilité latente. » À la lumière de cette réflexion, essayez d'expliquer ce que peut symboliser le cadavre.

Chercher

15 La dispute conjugale est un thème souvent abordé dans le théâtre et dans le vaudeville en particulier. Qu'est-ce qu'un vaudeville ?

16 Cherchez quelques exemples de dispute conjugale au théâtre.

17 La nouvelle a été adaptée pour la scène sous le titre *Amédée ou comment s'en débarrasser*. Préparez un exposé sur cette pièce.

18 Qu'appelle-t-on la prescription, en droit ? Qui évoque ce sujet dans la nouvelle et quel est l'argument qui en est tiré ?

À SAVOIR

RÊVE ET LITTÉRATURE

Selon Ionesco, « Oriflamme » et « La photo du colonel » sont des nouvelles inspirées par des rêves nocturnes, et leur rédaction comporterait une grande part de retranscription des images conservées. Dans ses ouvrages critiques comme dans ses textes autobiographiques, les récits de rêve sont très nombreux et Ionesco s'essaie souvent à leur interprétation. Dans *Journal en miettes*, il oppose la conscience diurne qui nous donnerait accès au monde visible, aux apparences, et la conscience « onirique » qui nous permettrait d'entrevoir des symboles essentiels et d'accéder à une véritable lucidité. Très influencé par la psychanalyse qu'il découvre dans les années 30, Ionesco pense, comme Freud, que le rêve est un « révélateur », une « pensée en images » qui nous permet de comprendre des vérités cachées et refoulées. L'auteur d'« Oriflamme » explique : « le rêve est révélateur, [...] à la fois il révèle, il montre et il cache ce qu'il montre ; ce que le rêve révèle, à travers les censures, à travers les symboles, c'est ce que la conscience diurne cache. » Le rêve est un mode de pensée intuitif et esthétique supérieur à la pensée discursive et logique pour Ionesco.

Notre auteur, qui a suivi une psychanalyse avec un disciple de Jung, est très influencé par les théories de ce psychanalyste. Selon Jung, les rêves sont des moyens de retrouver des archétypes fondamentaux appartenant à un « inconscient collectif » universel. Les mythes et symboles traduisent ensuite, pour la conscience, ces archétypes en images. Un récit met en mots et organise ces images. Par exemple, la lumière est un symbole associé au paradis dont la quête est un archétype universel. La Cité originaire, dans « La photo du colonel », pourrait en être la métaphore ou la traduction en image. Pour Ionesco, « notre vérité est dans nos rêves » (*Notes et contre-notes*) car ceux-ci expriment nos obsessions humaines individuelles et collectives. Les rêves mettent en lumière des archétypes que le travail littéraire convertit en symboles et en images pour interroger le monde.

Pour comprendre

Pour comprendre

L'ÉVASION

Lire

1 Comment qualifieriez-vous l'univers proposé par Ionesco dans cette nouvelle ?

2 Quelle est la maladie contractée par le cadavre ? Quelles sont les étapes dans la progression du cadavre ?

3 Que peut symboliser cette croissance assez soudaine dans la vie sentimentale du couple ?

4 Quels sont les réactions et sentiments manifestés par les deux personnages face à ce phénomène ?

5 Quelles sont les comparaisons utilisées pour décrire l'expansion du cadavre ? Peut-on voir un point commun entre certaines comparaisons ?

6 De quelle façon Madeleine s'adresse-t-elle au narrateur dans ces pages ? Relevez quelques mots ou expressions pour justifier votre réponse.

7 « L'amour arrange tout » (l. 210), affirme le narrateur. Comment comprenez-vous ce passage (l. 209-224) dans lequel le narrateur interpelle Madeleine ? De quelle façon réagit-elle ?

8 Quels sont les éléments qui symbolisent l'amour pour le narrateur ?

9 Quels procédés stylistiques pouvez-vous repérer dans la description de la nuit que propose le narrateur (l. 256-266) ? En quoi ce passage contraste-t-il avec l'univers précédemment évoqué et que révèle-t-il sur le narrateur ?

10 Que ressent le narrateur quand il extrait le cadavre de l'appartement ?

11 Comment comprenez-vous le titre de la nouvelle ?

Écrire

12 À propos d'une autre pièce (*Le Piéton de l'air*), Ionesco faisait ce commentaire : « Mon héros s'envole comme dans les rêves que nous rêvons tous. » Expliquez en quoi ce commentaire pourrait s'appliquer à cette nouvelle.

13 « La littérature empêche les hommes d'être indifférents aux hommes. » Comment comprenez-vous cette réflexion de Ionesco ?

Chercher

14 Comment la pièce de théâtre *Amédée ou comment s'en débarrasser* se termine-t-elle ? Comparez avec la fin de la nouvelle.

15 En lisant les derniers paragraphes, on peut penser au peintre Chagall : faites des recherches sur ce peintre et essayez de trouver un tableau que vous pourriez rapprocher de ce texte.

16 Qu'est-ce que le « surréalisme » ? Cette nouvelle peut-elle être rapprochée de ce courant artistique, selon vous ?

17 Lisez le poème « Aurore » de Victor Hugo et essayez d'identifier un point commun avec le discours du narrateur.

18 Ionesco connaissait bien Victor Hugo : cherchez un élément de sa bibliographie qui peut le démontrer.

Oral

19 Quels sont vos impressions et sentiments après la lecture de cette nouvelle ?

Pour comprendre

À SAVOIR

TECHNIQUE NARRATIVE

Un auteur qui écrit une nouvelle choisit un narrateur (ou plusieurs) pour raconter son histoire.

Un premier choix s'opère :

– soit le narrateur est un personnage de l'histoire ; c'est alors un narrateur interne ;

– soit il est davantage un spectateur qu'un personnage ; on parle alors de narrateur externe.

Dans les trois nouvelles ici reproduites, le narrateur interne est le personnage principal de l'histoire.

Le narrateur doit aussi être distingué de l'auteur Ionesco. Certes, l'auteur prête à ses différents narrateurs certaines de ses propres interrogations, mais nous ne sommes pas dans des récits autobiographiques qui permettraient d'identifier l'auteur au narrateur. Les trois narrateurs des différentes nouvelles sont assez mystérieux : ils n'ont pas de nom ou de prénom, ils n'ont pas de visage ou de passé défini. Les adaptations théâtrales des trois nouvelles (*cf.* présentation, p. 4-6) précisent un peu leur identité et dessinent une convergence. Le narrateur d'« Oriflamme » deviendra Amédée au théâtre, tandis que le narrateur de « Rhinocéros » et celui de « La photo du colonel » gardent le même nom. Il s'agit de Bérenger, personnage qui reviendra dans deux autres pièces de Ionesco (*Le roi se meurt* et *Le Piéton de l'air*) pour constituer une sorte de double symbolique de l'auteur.

Dans les trois nouvelles, le point de vue narratif (ou focalisation) est le même. On désigne ainsi le regard par lequel nous percevons l'univers décrit. Le lecteur suit l'action à travers le point de vue unique et partiel d'un seul narrateur dont on perçoit aussi les réactions, les pensées, les sentiments. On parle de « point de vue interne » quand le lecteur suit l'histoire à travers la conscience d'un narrateur. Cela facilite l'introspection psychologique et l'identification du lecteur par « empathie », mécanisme qui conditionne aussi souvent l'intérêt que l'on peut prêter à un texte.

Pour comprendre

LA MORT QUI RÔDE

Lire

1 Qui sont les deux personnages en présence dans cette partie de la nouvelle ? Qu'apprend-on sur le narrateur ?

2 Quels sont les éléments attrayants et « merveilleux » qui retiennent l'attention du narrateur dans sa description du « beau quartier » ?

3 Quelle information donnée par l'architecte fait basculer le récit dans l'insolite ou le fantastique ?

4 Quelle est la première comparaison utilisée dans le texte ? Quelle opposition symbolique introduit-elle entre le quartier riche et le reste de la ville ?

5 Lignes 35 à 41 : quels sont les noms communs utilisés par l'architecte et le narrateur pour qualifier ce quartier ? Que mettent-ils en évidence ?

6 Quel est le point de vue narratif choisi ici par l'auteur ? Permet-il de mieux comprendre les sentiments du narrateur ?

7 Quel est le premier élément qui surprend et inquiète le narrateur dans ce passage ? Les propos qu'il tient ensuite traduisent-ils une inquiétude forte ou plutôt une tentative pour se rassurer ?

8 Comment comprenez-vous les phrases « La nuit intérieure m'envahit » (l. 76) et les deux qui suivent (l. 77-81) ?

9 Combien de cadavres les personnages retrouvent-ils dans le bassin ? Que peuvent-ils représenter ?

10 Expliquez la phrase suivante : « Je me sentis fourbu, meurtri, l'existence vaine. » (l. 112-113)

11 On peut avoir l'impression que les personnages évoluent dans un labyrinthe : pourquoi ?

Écrire

12 Faites la description détaillée de la ville de vos rêves.

13 Préféreriez-vous vivre plus tard dans une très grande ville ou à la campagne ? Présentez votre point de vue dans un développement organisé.

14 Imaginez un récit à la première personne dans lequel votre narrateur basculera progressivement du rêve au cauchemar en visitant un lieu inconnu.

Chercher

15 La nouvelle intitulée « La photo du colonel » a été adaptée au théâtre. Quel est le titre de cette pièce ? Lisez-en les premières pages et comparez-les à la nouvelle. Quelles remarques pouvez-vous faire ?

16 Qui a employé le mot « Utopie » pour la première fois ? Cherchez des informations sur cet écrivain et sur son œuvre. Présentez deux idées originales de cet auteur.

Pour comprendre

17 Faites des recherches sur les architectes qui ont pu imaginer des cités utopiques merveilleuses. Vous pouvez consulter le site de la BNF qui a consacré un dossier à l'utopie.

Oral

18 Après avoir défini ce qu'est une utopie, exposez trois idées qui pourraient inspirer votre utopie futuriste.

À SAVOIR

L'INSOLITE

Dans ses livres d'entretiens ou dans ses ouvrages critiques, Ionesco utilise souvent le mot « insolite » pour qualifier son univers. Il préfère d'ailleurs ce mot au qualificatif d'« absurde » que des commentateurs ont souvent accolé à son théâtre. L'insolite, c'est le surgissement d'un événement irrationnel, incongru et a priori inexplicable dans l'univers narratif ou théâtral.

Les trois nouvelles que nous éditons se caractérisent par l'irruption de l'insolite dans un univers apparemment banal. Dans « Rhinocéros », l'apparition de l'animal sauvage fonçant dans une petite rue, dès la première phrase, nous plonge dans un univers étrange. La présence d'un cadavre, annoncée au tout début d'« Oriflamme », cadavre intact au bout de dix ans qui se met soudain à grandir démesurément, nous situe aussi dans un monde insolite. Enfin, le tueur évoqué dans « La photo du colonel », tout comme le rituel qu'il respecte, l'impunité dont il bénéficie et le quartier qu'il hante, répondent eux aussi à cet « insolite » qui doit surprendre le lecteur, le dérouter, l'interroger.

Comment comprendre cette présence d'éléments insolites ? Ionesco nous donne une piste intéressante dans *Notes et contre-notes*. Il explique en effet que la pensée profonde et créatrice naît avec l'étonnement « métaphysique » face au monde. Cet étonnement n'est jamais aussi vif que lorsque le monde apparaît sous un nouveau jour, étrange et étranger, « insolite » et incompréhensible. L'insolite nous oblige à sortir de nos habitudes et à nous interroger, à interpréter et à avouer parfois notre incompréhension. Face à un texte insolite, le lecteur est, comme l'homme, face à un univers dont le sens immédiat lui échappe, un monde absolument déroutant dont la cruauté tragique est inexplicable par la simple raison. Il est face à une énigme ou une défaillance de la logique habituelle.

« LA PHOTO DU COLONEL »

UN AMI INQUIÉTANT

Lire

1 Quelles sont les deux grandes parties qui constituent ce passage ?

2 Quelle est la seconde activité exercée par l'architecte ? Cette association est-elle banale ou insolite ? Comment la comprendre ?

3 Donnez d'autres exemples de dédoublement ou de dualité dans les pages qui suivent. Comment interpréter ce thème ?

4 Quelles sont les deux attitudes différentes qu'incarnent les deux personnages face à la découverte des cadavres et du crime ?

5 Lignes 177 à 197 : le commissaire raconte en détails la technique employée par le meurtrier. Comment désigne-t-il les victimes dans ce passage ? À quel type de lexique cette périphrase appartient-elle ?

6 Observez et analysez la dernière réplique du commissaire (l. 208-211). Ne vous semble-t-elle pas étrange ? Comment la comprenez-vous ?

7 Quelle est la couleur associée à Édouard ? Quels sont les éléments de la description qui en font un personnage inquiétant ?

8 Les explications d'Édouard vous semblent-elles convaincantes ou troublantes ?

9 Lignes 247 à 279 : quels sont les objets que contient la serviette d'Édouard ? Comment interpréter cette liste hétéroclite ?

Écrire

10 « On ne peut connaître le cœur des gens », dit le narrateur (l. 237). Écrivez un texte qui pourrait illustrer cette maxime.

11 Transposez le passage dans lequel le narrateur rapporte les propos tenus par Édouard en scène dialoguée.

12 Imaginez que vous rencontrez un personnage étrange et inquiétant. Racontez.

Chercher

13 Faites des recherches sur la pièce de Ionesco adaptée de cette nouvelle : quand a-t-elle été jouée pour la première fois ? Quelles furent les réactions du public ou des critiques ?

14 Certains critiques ont parlé à propos de cette nouvelle de « récit kafkaïen ». Cherchez l'origine et la signification de l'adjectif dans cette expression.

Oral

15 « Si on pensait à tous les malheurs de l'humanité, on ne vivrait pas. » (l. 142-143) Que pensez-vous de cette réflexion de l'architecte dans ces pages ?

À SAVOIR

LE PESSIMISME ET L'HISTOIRE

Témoin de la montée du fascisme en Roumanie dans les années 1930, spectateur des massacres de la Seconde Guerre mondiale et de la diffusion du totalitarisme communiste à l'Est après-guerre, Ionesco considère que l'Histoire de l'humanité est une tragédie insensée, ponctuée de « jeux de massacre » absurdes. Son pessimisme s'est manifesté à de nombreuses reprises dans ses essais et entretiens, notamment dans les dernières années de sa vie où il prophétise des désastres écologiques et humains. « Nous allons vers la catastrophe [...], la glissade vers la catastrophe, on l'appelle encore et encore le Progrès », écrit-il par exemple dans *La Quête intermittente*, et il ajoute quelques lignes plus loin : « Toute l'Histoire n'est qu'une série d'actes manqués. »

Contrairement aux marxistes ou aux penseurs du progrès, Ionesco ne croit pas que l'Histoire avance grâce à une lutte des classes qui débouchera sur une société réconciliée et pacifique. Pour lui, les forces qui agissent dans l'Histoire sont des passions négatives qui s'expriment en particulier dans l'univers politique. Dans son *Journal en miettes*, il explique : « Marx se trompait : la jalousie et l'orgueil, autant que la faim, autant que les nécessités économiques sont les forces passionnelles qui expliquent les actions humaines, l'Histoire entière, la chute initiale. »

Ionesco est ici beaucoup plus proche du Freud de *Malaise dans la civilisation* que de Marx. Dans *Antidotes*, Ionesco rend hommage au fondateur de la psychanalyse et précise cette convergence : « [Freud] savait que toutes les justifications apparemment généreuses ou non des idéologies n'étaient que les alibis de nos instincts de meurtre. Et ce mal en soi a revêtu d'innombrables aspects dans le courant de l'histoire : justifications religieuses, justifications économiques ou politiques, justifications libertaires, menteuses explications. » La nouvelle « Rhinocéros » est sans doute celle qui va le plus loin dans cette lucidité critique à l'égard des idéologies qui conduisent à la barbarie ou au totalitarisme. Ces idéologies déshumanisent l'homme, deviennent des idolâtries et servent de prétextes à « l'instinct destructeur », à « l'agressivité fondamentale » ou à la « haine de l'homme pour l'homme », autant de formules que l'on trouvera dans *Notes et contre-notes*, ouvrage essentiel pour mieux comprendre Ionesco.

Pour comprendre

LA MORT EN FACE

Lire

1 Après le départ d'Édouard, le narrateur amorce une descente. Quelle est la précision spatiale qui permet de le comprendre ? Comment l'interpréter ?

2 Chacune des parties de la nouvelle est constituée d'un diptyque : montrez cette composition dans ce passage.

3 Quels sont les premiers personnages que le narrateur rencontre ? Quel détail plutôt insolite est mentionné ?

4 Quelle est l'activité principale des policiers dans ce passage ? Cette activité vous semble-t-elle correspondre à leur fonction première ?

5 Quels éléments appartiennent au registre fantastique dans la description des policiers ?

6 Quelle est l'attitude de ces policiers quand ils s'adressent aux autres personnages ? Pourquoi, selon vous ?

7 Quels sont les différents sentiments du narrateur dans cette partie ? Relevez les mots importants qui justifient votre réponse.

8 Quels sont les éléments qui accentuent le sentiment de solitude du personnage dans cette partie ?

9 Quels sont les éléments qui font du meurtrier un être plutôt contradictoire ? Cela ressemble-t-il au portrait d'un tueur tel que vous l'imaginiez ?

10 Relevez les références religieuses dans les trois derniers paragraphes. Comment peut-on comprendre ces allusions ?

11 Comment qualifieriez-vous l'attitude finale du narrateur ?

Écrire

12 Un critique écrit que la pièce *Tueur sans gages*, adaptation théâtrale de « La photo du colonel », « commence comme un conte de fées, se poursuit comme un drame policier et se termine comme une tragédie. » Peut-on dire la même chose de la nouvelle ? Expliquez.

13 Un autre critique écrit que la pièce « embrasse le sujet le plus vaste qui soit, celui qui les contient tous : l'homme en présence du mal, aux prises avec le mal, le mal qui prend tous les visages, toutes les formes. » Comment comprenez-vous cette réflexion ?

14 Ionesco commente ainsi son texte dans un entretien : « Oui, c'est la chute, c'est le péché originel. » Qu'appelle-t-on le « péché originel » dans la théologie chrétienne ? Quelle relecture de la nouvelle peut-on faire à l'aide de cette formule ?

Chercher

15 La nouvelle fut publiée en 1957, année pendant laquelle sortit un film d'Ingmar Bergman intitulé *Le*

Septième Sceau. Faites des recherches sur ce film et essayez de voir quel rapprochement on peut faire entre les deux œuvres.

16 Ionesco était un admirateur d'Alfred Jarry et en particulier de sa pièce *Ubu roi*. Préparez un exposé sur cette pièce.

À SAVOIR

Pour comprendre

LA CONDITION TRAGIQUE

Pour Ionesco, nous « sommes condamnés à ne rien savoir, sauf que la tragédie est universelle. » (*Notes et contre-notes*) L'homme est plongé dans un monde incompréhensible, irrationnel, dans lequel le mal, la souffrance et l'injustice triomphent. C'est ce qu'il appelle « la condition tragique et dérisoire » d'un homme réduit à l'impuissance, à l'échec et à une déchéance finale fort cruelle.

Bien loin d'offrir une diversion ou un divertissement, la littérature traduit ce désarroi essentiel face au monde. Elle est porteuse d'interrogations. Chacune des nouvelles de notre recueil illustre cette condition tragique de l'homme qui voit le triomphe des pulsions destructrices sur les pulsions de vie et d'amour. Thanatos est plus fort qu'Éros, tel est le constat tragique. « La Création est ratée », dira ailleurs Ionesco (*Antidotes*).

Déroute des sentiments amoureux et du couple dans « Oriflamme », par exemple, qui renvoie l'être humain à sa solitude fondamentale, à un désir d'évasion hors du monde ou à une acceptation résignée et morbide. Le cadavre qui grandit au milieu du couple est la métaphore parfaite d'un amour disparu qui nourrit un ressentiment croissant. Échec aussi du langage à lier, à réconcilier les êtres humains comme le montrent les dialogues de nos nouvelles et l'œuvre théâtrale de notre auteur. « J'ai voulu dire également que, tout en parlant, les hommes ne savaient pas ce qu'ils voulaient dire et qu'ils parlaient pour ne rien dire, que le langage, au lieu de les rapprocher les uns des autres, ne faisait que les séparer davantage », explique Ionesco dans *Antidotes*.

Condamnation à l'errance dans le labyrinthe du monde avec pour seule certitude la confrontation finale avec une mort impitoyable et imprévisible (« La photo du colonel »), isolement fatal d'un esprit libre en période de contagion totalitaire et d'hystérie collective (« Rhinocéros »), voici quelques-unes des autres facettes de notre « condition tragique ».

GROUPEMENT DE TEXTES

RÉFRACTAIRES

Dans *Présent passé, passé présent*, ouvrage largement autobiographique, Ionesco raconte comment, dans les années 30, il vit des hommes se métamorphoser en brutes possédées par la haine des juifs et la recherche de boucs émissaires. Cette expérience inspirera « Rhinocéros ». La nouvelle montre que cette mutation peut concerner tout le monde. Des êtres ordinaires peuvent se transformer en bêtes sauvages assoiffées de sang et de vengeance et celui qui refuse de s'aligner sur le comportement des autres peut être condamné à l'isolement, rejeté, chassé.

Face à la contagion de la haine, le narrateur de « Rhinocéros » résiste. La littérature présente ainsi quelques figures assez fascinantes de réfractaires qui refusent d'imiter la foule ou de se soumettre aux puissants. La galerie d'exemples historiques et de portraits littéraires est variée. Ce peut être un simple « refusant » (concept de Philippe Breton) qui n'agit pas par conviction politique mais refuse l'inhumanité ou l'obéissance pure (on peut penser à Oskar Schindler, que le film de Steven Spielberg, *La Liste de Schindler*, a fait connaître au grand public, ou à Bartleby, le personnage d'une nouvelle d'Herman Melville). On peut aussi reconnaître des « résistants » engagés dans un combat armé, les dissidents des régimes totalitaires ou les « divergents » des romans dystopiques. Autant de personnages qui refusent la soumission à un pouvoir tyrannique ou injuste au nom de convictions morales, philosophiques et humaines. Autant d'êtres réels ou imaginaires qui refusent le silence au nom de la liberté et de l'éthique.

Au théâtre aussi, on trouve quelques beaux exemples de réfractaires, depuis Aristophane ou Sophocle jusqu'à Albert Camus ou Howard Barker aujourd'hui. Ces réfractaires opposent, comme l'Antigone de Sophocle, la légitimité d'une morale à la légalité d'un ordre oppressant et inique. Ils choisissent la révolte, le risque, la désobéissance là où d'autres préfèrent la soumission, l'obéissance aveugle, l'efficacité, la sécurité, l'indifférence.

Sophocle (495-406 av. J.-C.)

Antigone, épisode 2, 442 av. J.-C., traduction de J. Bousquet et M. Vacquelin, 1897.

Les deux fils d'Œdipe, Étéocle et Polynice, s'entretuent pour régner sur Thèbes. Leur successeur, Créon, condamne Polynice. Celui-ci a trahi la cité, selon Créon, en s'alliant aux Argiens, les ennemis traditionnels de Thèbes. Son cadavre devra pourrir au soleil sans sépulture. La tragédie de Sophocle raconte la révolte d'Antigone, sœur des deux défunts, et sa condamnation à mort. Pour la jeune femme, il existe une légitimité (« la loi des dieux ») supérieure aux lois humaines arbitraires, et cette exigence morale impose le respect des morts et des corps. Elle refuse donc, mettant sa vie en péril, d'obéir au décret de Créon.

CRÉON, *au garde.* Toi, va où tu voudras : tu es quitte de l'accusation qui pesait sur ta tête. *(Le garde sort. À Antigone.)* Mais toi, réponds sans détours en peu de mots. Connaissais-tu la défense que j'avais fait publier ?

ANTIGONE. Je la connaissais. Comment ne pas la connaître ? Elle était publique.

CRÉON. Et pourtant tu as osé transgresser cette loi ?

ANTIGONE. Ce n'était ni Zeus ni la Justice, compagne des dieux infernaux, qui avaient publié une pareille loi. Et je ne pensais pas que tes décrets eussent assez de force pour que les lois non écrites, mais immuables, émanant des dieux, dussent céder à un mortel. Car ces lois ne sont ni d'aujourd'hui, ni d'hier ; elles sont éternelles et personne ne sait quand elles ont pris naissance. Je ne devais donc pas, par crainte de froisser l'orgueil d'un mortel, m'exposer à la vengeance des dieux pour les avoir transgressées. Je savais que je devrais un jour mourir (pouvais-je l'ignorer ?), même sans ton interdiction. Mais si je meurs avant le temps, c'est pour moi grand profit, je le déclare. Quand on vit, comme je fais, au milieu des maux, comment la mort ne serait-elle pas un avantage ? Aussi le sort qui m'attend ne me cause aucune peine. Au contraire, si j'avais laissé sans sépulture celui qui connut les mêmes parents que moi, grande serait mon affliction. Ce que j'ai fait ne m'en cause aucune. Si donc ma conduite te paraît insensée, peut-être est-ce un fou qui me taxe de folie.

LE CHORYPHÉE. À ce caractère farouche on reconnaît la fille du farouche Œdipe. Elle ne sait pas céder au malheur.

QUESTIONS

1. Quel est l'argument principal que développe ici Antigone pour s'opposer à la décision de Créon ?

2. Quelles sont les trois parties qui composent son discours ?

3. Pour le philosophe Hegel (*Phénoménologie de l'esprit*, 1807), le tragique véritable apparaît quand deux systèmes de valeurs légitimes s'opposent. Selon lui, l'*Antigone* de Sophocle illustre cette opposition. Comment comprenez-vous cette réflexion ?

Albert Camus (1913-1960)

L'État de siège, deuxième partie, © Éditions Gallimard, 1948.

Écrite en 1948, cette pièce d'Albert Camus est une allégorie assez transparente de l'occupation allemande représentée sur scène par un personnage qui prend le pouvoir et propage la mort : la Peste. Dans une ville portuaire espagnole soumise à un gouverneur qui se définit comme le « roi de l'immobilité », la Peste s'installe et réduit les dirigeants précédents aux rôles de collaborateurs ou de pantins. Diego, qui soigne les malades, sera le seul à se révolter contre la Peste alors que la plupart des habitants tentent de survivre, dénoncent les malades et obéissent aux nouvelles lois odieuses. Poursuivi par des gardes, Diego, le fiancé de Victoria, tente de se réfugier chez le père de celle-ci qui est juge.

VICTORIA. Non, père. Vous ne livrerez pas cette vieille servante sous prétexte qu'elle est contaminée. Oubliez-vous qu'elle m'a élevée et qu'elle vous a servi sans jamais se plaindre ?

LE JUGE. Ce qu'une fois j'ai décidé, qui oserait le reprendre ?

VICTORIA. Vous ne pouvez décider de tout. La douleur a aussi ses droits.

LE JUGE. Mon rôle est de préserver cette maison et d'empêcher que le mal y pénètre. Je…

Entre soudain Diego.

LE JUGE. Qui t'a permis d'entrer ici ?

DIEGO. C'est la peur qui m'a poussé chez toi ! Je fuis la Peste.

LE JUGE. Tu ne la fuis pas, tu la portes avec toi. *(Il montre du doigt à Diego la marque qu'il porte maintenant à l'aisselle. Silence. Deux ou trois coups de sifflet au loin.)* Quitte cette maison.

DIEGO. Garde-moi ! Si tu me chasses, ils me mêleront à tous les autres et ce sera l'entassement de la mort.

LE JUGE. Je suis le serviteur de la loi, je ne puis t'accueillir ici.

DIEGO. Tu servais l'ancienne loi. Tu n'as rien à faire avec la nouvelle.

LE JUGE. Je ne sers pas la loi pour ce qu'elle dit, mais parce qu'elle est la loi.

DIEGO. Mais si la loi est le crime ?

LE JUGE. Si le crime devient la loi, il cesse d'être crime.

DIEGO. Et c'est la vertu qu'il fait punir !

LE JUGE. Il faut la punir, en effet, si elle a l'arrogance de discuter la loi.

VICTORIA. Casado, ce n'est pas la loi qui te fait agir, c'est la peur.

LE JUGE. Celui-ci aussi a peur.

VICTORIA. Mais il n'a encore rien trahi.

LE JUGE. Il trahira. Tout le monde trahit parce que tout le monde a peur. Tout le monde a peur parce que personne n'est pur.

QUESTIONS

1. Si l'on voit dans cette pièce une allusion à la situation de la France pendant la Seconde Guerre mondiale, que peuvent représenter les deux personnages du juge et de Diego ?

2. Quelle est la nature du conflit qui oppose le père et la fille dans la première partie de la scène ? Expliquez en quelques phrases.

3. « Si le crime devient la loi, il cesse d'être crime. » Comment comprenez-vous cette réflexion du juge ? Qu'en pensez-vous ?

4. La peur explique-t-elle toujours la soumission à l'autorité, selon vous ?

Aimé Césaire (1913-2008)
Une tempête, acte III, scène 1, © Le Seuil, 1969.

Quels moyens employer pour contester un pouvoir jugé injuste ou tyrannique ? Tel est le débat qui oppose Ariel et Caliban dans cette pièce d'Aimé Césaire. Inspirée d'une pièce de Shakespeare (La Tempête), cette œuvre fait clairement allusion aux combats menés contre le racisme et les discriminations aux États-Unis dans les années 60. D'un côté Ariel, qui prône une résistance non violente et veut rester dans la légalité, comme le fit Martin Luther King jusqu'à son assassinat en 1968. De l'autre Caliban, « esclave nègre » qui veut renverser Prospero, par la force si nécessaire, plutôt que de négocier et d'attendre. Caliban reprend certaines idées de Malcolm X pour lequel « il n'existe pas de révolution pacifique » et qui ajoutait : « il n'existe pas de révolution où l'on tende l'autre joue. »

ARIEL. [...] Je suis venu t'avertir. Prospero médite sur toi d'épouvantables vengeances. J'ai cru de mon devoir de te mettre en garde.

CALIBAN. Je l'attends de pied ferme.

ARIEL. Pauvre Caliban, tu vas à ta perte. Tu sais bien que tu n'es pas le plus fort, que tu ne seras jamais le plus fort. À quoi te sert de lutter ?

CALIBAN. Et toi ? À quoi t'ont servi ton obéissance, ta patience d'oncle Tom, et toute cette lèche ? Tu le vois bien, l'homme devient chaque jour plus exigeant et plus despotique.

ARIEL. N'empêche que j'ai obtenu un premier résultat, il m'a promis ma liberté. À terme, sans doute, mais c'est la première fois qu'il me l'a promise.

CALIBAN. Du flan ! Il te promettra mille fois et te trahira mille fois. D'ailleurs, demain ne m'intéresse pas. Ce que je veux, c'est,

il crie

« Freedom now ! »

ARIEL. Soit. Mais tu sais bien que tu ne peux l'arracher maintenant et qu'il est le plus fort. Je suis bien placé pour savoir ce qu'il a dans son arsenal.

CALIBAN. Le plus fort ? Qu'en sais-tu ? La faiblesse a toujours mille moyens que seule la couardise nous empêche d'inventorier.

ARIEL. Je ne crois pas à la violence.

CALIBAN. À quoi crois-tu donc ? À la lâcheté ? À la démission ? À la génuflexion ? C'est ça ! On te frappe sur la joue droite, tu tends la joue gauche. On te botte la fesse gauche, tu tends la fesse droite ; comme ça, pas de jaloux. Eh bien, très peu pour Caliban !

ARIEL. Tu sais bien que ce n'est pas ce que je pense. Ni violence, ni soumission. Comprends-moi bien. C'est Prospero qu'il faut changer. Troubler sa sérénité jusqu'à ce qu'il reconnaisse enfin l'existence de sa propre injustice et qu'il y mette un terme.

QUESTIONS

1. Qu'est-ce qui oppose Caliban et Ariel dans ce passage ?

2. Le discours de Caliban comporte plusieurs références historiques et des allusions aux idées ou aux propos de Malcolm X. Faites des recherches sur ce personnage historique et essayez d'identifier quelques allusions et références du passage.

3. Quelle est, selon vous, l'attitude la plus efficace pour contester un pouvoir injuste : celle d'Ariel ou celle de Caliban ?

4. Recherchez des informations sur le courant littéraire appelé « négritude ». En quoi ce texte peut-il y être rattaché ?

Howard Barker (né en 1946)

Tableau d'une exécution, 1984, traduction de J.-M. Déprats,
© Éditions Théâtrales, 2001.

Un artiste doit-il se soumettre à une idéologie et servir le pouvoir ?
Doit-il au contraire demeurer un modèle de liberté et d'indépendance ?
Dans cette pièce, Howard Barker choisit pour héroïne une artiste
peintre rebelle, Galactia. Celle-ci reçoit des plus hauts dignitaires de
Venise (le doge Urgentino en particulier) la commande d'un tableau
destiné à commémorer la bataille de Lépante qui vit le triomphe de
Venise sur la flotte turque. Urgentino souhaite un tableau à la gloire
des vainqueurs, mais Galactia a d'autres idées en tête…

URGENTINO. Bien ! Vous êtes ambitieuse, et l'ambition est une belle
chose mais elle implique un changement de perspective. Mon frère est
assez grand, mais est-il placé au bon endroit ? C'est ce que j'avais en tête
quand je vous ai dit que je ne voyais pas mon frère. Vous voyez, j'ai le
sens de l'humour !

GALACTIA. Oui, oui…

URGENTINO. Vous voyez !

GALACTIA. Moi aussi j'ai le sens de l'humour…

URGENTINO. Signora, vous avez à l'évidence le sens de l'humour, seule
une artiste dotée du sens de l'humour placerait l'amiral de la Flotte dans
un recoin aussi obscur ! Malgré sa taille, il ne domine pas le dessin. C'est
très spirituel de votre part mais, voyez-vous, moi aussi j'ai de l'esprit,
alors soyons sérieux, voulez-vous ?

GALACTIA. Vous trouvez que le tableau pèche par sa composition ?

URGENTINO. Signora Galactia ! Ferais-je une chose pareille ? C'est
vous l'artiste ! Je ne fais que vous rappeler certaines priorités. Un grand

artiste doit avant tout être responsable, sinon tous ses coups de pinceau, toutes ses couleurs, si brillantes soient-elles, ne le porteront jamais au premier rang.

GALACTIA. Je peins la bataille de Lépante. Je la peins de telle façon que tous ceux qui la regarderont auront l'impression d'y être, et tressailliront de douleur à l'idée qu'une flèche pourrait jaillir de la toile et leur crever l'œil…

URGENTINO. Excellent !

GALACTIA. De telle façon que les enfants trembleront et se réfugieront auprès de leurs parents au bruit des navires qui se heurtent…

URGENTINO. Excellent !

GALACTIA. Ce sera un tableau si bruyant que les gens le contempleront effarés en se bouchant les oreilles, et quand ils seront sortis de la salle, ils vérifieront que du sang ou des éclats de cervelle n'ont pas giclé sur leurs vêtements…

URGENTINO. Merveilleux ! Vous voyez, vous êtes passionnée, vous êtes magnifique !

GALACTIA. Leur couper le souffle, les faire blêmir !

URGENTINO. Parfait ! Parfait ! Mais aussi les rendre fiers.

GALACTIA. Fiers ?

URGENTINO. Le grand art est un art de célébration. De célébration ! De célébration ! Signora Galactia, vous aimez Venise ?

GALACTIA. Je suis de Venise.

URGENTINO. Je sais bien, mais…

GALACTIA. Je vous dis que je suis de Venise.

URGENTINO. Alors exaltez Venise. Je ne pense pas que j'ai besoin d'en dire plus. Apportez-moi bientôt un autre dessin.

QUESTIONS

1. Quel choix esthétique de Galactia dérange le doge Urgentino ?

2. Que recherche Galactia et quelles sont ses intentions en peignant le tableau demandé ? Que souhaite Urgentino ?

- **Théâtre complet de Ionesco**, Gallimard, Pléiade, 1991.

- **Essais de Ionesco**
- *Notes et contre-notes*, coll. « Idées », Gallimard, 1966.
- *Présent passé, passé présent*, Mercure de France, 1968.
- *Découvertes*, coll. « Les sentiers de la création », Skira, 1969.
- *Journal en miettes*, coll. « idées », Gallimard, 1973.
- *Entre la vie et le rêve*, entretiens avec Claude Bonnefoy, Belfond, 1977.
- *Antidotes*, Gallimard, 1977.
- *Un homme en question*, Gallimard, 1979.
- *Le Blanc et le Noir*, Gallimard, 1985.
- *La Quête intermittente*, Gallimard 1987.
- *Ruptures de silence*, rencontres avec André Coutin, Mercure de France, 1995.

- **Autres ouvrages de Ionesco**
- *Le Solitaire*, roman, Gallimard, 1976.
- *La Photo du colonel*, recueil de nouvelles, coll. « L'Imaginaire », Gallimard, 1982.

- **Quelques ouvrages sur Ionesco**
- Claude Abastado, *Ionesco*, coll. « Présences littéraires », Bordas, 1971.
- Marie-Claude Hubert, *Eugène Ionesco*, coll. « Les contemporains », Le Seuil, 1990.
- André Le Gall, *Ionesco*, coll. « Grandes biographies », Flammarion, 2009.
- Isabelle Dano, *Étude sur Rhinocéros*, coll. « Résonances », Ellipses, 2007.
- Étienne Frois, *Rhinocéros*, coll. « profil d'une œuvre », Hatier, 1970.
- Georges Zaragoza, *Rhinocéros*, coll. « Repères Hachette », Hachette, 1995.

- **Quelques ouvrages cités**
- Philippe Breton, *Les Refusants*, La Découverte, 2009.
- Christopher Browning, *Des hommes ordinaires*, Les Belles Lettres, 2005.
- Boris Cyrulnik, *Ivres paradis, bonheurs héroïques*, Odile Jacob, 2016.
- Frédéric Gros, *Désobéir*, Albin Michel/Flammarion, 2017.
- Stanley Milgram, *La Soumission à l'autorité*, Calmann-Lévy, 1974.

Couverture
Conception graphique : Marie-Astrid Bailly-Maître et Yannick Le Bourg
Illustration : Laurent Simon

Intérieur
Conception graphique : Marie-Astrid Bailly-Maître et Muriel Ouziane
Édition : Charlotte Cordonnier
Réalisation : Nord Compo, Villeneuve-d'Ascq

Ces trois nouvelles d'Eugène Ionesco sont issues du recueil
La photo du colonel, © Gallimard, 1962.

**© Éditions Magnard, 2018, pour la présentation, les notes,
les questions et l'après-texte.**

**www.magnard.fr
www.classiquesetcontemporains.com**

Achevé d'imprimer en octobre 2019
par «La Tipografica Varese Srl» en Italie
N° éditeur : MAGSI20191071
Dépôt légal : avril 2018

Certifié PEFC

Ce produit est issu de forêts gérées durablement et de sources contrôlées

PEFC/18-31-264   www.pefc-france.org